Karlsruhe

Helmuth Bischoff

Willkommen

Zu Gast in Karlsruhe

Übernachten

Essen & Trinken

Einkaufen

KARLSRUHE

... oder beim Schiffsausflug auf dem Rhein.
Hier pulsiert und fließt das Leben.

12 Highlights

Inhalt

20 Reisetipps

Karlsruhe im Internet

www.karlsruhe.de
Die Homepage der Stadt ist gut. Bei der Nähe von soviel Internet- und Gestaltungskompetenz durch Hochschulen, ZKM und Technoszene darf man dies auch erwarten. Sie ist übersichtlich, vertieft Spezialthemen und führt mit interessanten Links durch einen unterhaltsamen Online-Abend.

www.karlsruhe.de/Tourismus
Auf dieser Site findet man eine Hotelübersicht mit Möglichkeit der Online-Buchung. Die anderen Menüpunkte führen schnell zu den touristischen Angeboten der Stadt.

www.2.karlsruhe.de/ Service/Barrierefrei/
Auf dieser Site können bewegungseingeschränkte Besucher ihren Aufenthalt gut vorbereiten. Alle relevanten Daten und Informationen sind hier gebündelt.

www.stattreisen-karlsruhe.de
Ausführliche Programmbeschreibung des gleichermaßen lehrreichen wie unterhaltsamen Angebots an thematischen Stadtführungen.

www.museumspass.com
Beim Erwerb des Passes (25 € für einen Monat) sind die Eintritte in acht Karlsruher Museen und weitere Museen der Region Oberrhein (inkl. Frankreich und Schweiz) gratis.

www.rad-karlsruhe.de
News und Routenvorschläge zum Thema Fahrrad fahren in Karlsruhe und Umgebung.

www.ka-news.de
Erste online-Tageszeitung Deutschlands. Mit Branchenbuch und gut recherchierten Meldungen.

www.klappeauf.de
Die Homepage des Karlsruher Veranstaltungsmagazins. Vielfältig, aktuell, gut sortiert. Ein Gewinn.

www.ka-nightlife.de
Locations, Events, gut besuchtes Forum … Hier ist viel über das Nachtleben der Stadt zu erfahren.

www.tollhaus-karlsruhe.de
Homepage des beliebten Kulturveranstaltungsorts ›Tollhaus‹ (s. S. 67). Wer hier surft, bekommt Lust auf die Stadt.

www.gbraun.de
www.infoverlag.de
www.karlsruhe.de/Historie/Archiv/veroeffentlichungen.htm
Wer sich mit Geschichte, Architektur, Kultur und Gegenwartsthemen zu Karlsruhe beschäftigen möchte, kann dies durch die vorbildliche Arbeit lokaler Verlage und des Stadtarchivs gut tun.

www.kunstportal-bw.de
Eine informative Plattform zum Kunstgeschehen in Baden-Württemberg. Es sind auch staatliche, private und Gruppenaktivitäten in Karlsruhe beschrieben und verlinkt.

www.karlsruhe.de/Kultur/ Projekte/Lebensart/
Auf dieser Site stellt sich ein Projekt vor, das in Sachen ›Gutes Essen‹ eigene und vorbildliche Wege geht (s. S. 31). Wer sich die Mitgliederliste ausdruckt, hat schon eine gute Orientierung bezüglich empfehlenswerter Restaurants.

Willko

»Betreten der Grünflächen erlaubt« und »Anfassen der Exponate erwünscht« … In mancher Hinsicht tickt Karlsruhe etwas anders. Im Schlossgarten sitzen die Leute auf dem Rasen und lassen den lieben Gott bei Käse, Baguette und Rotwein einen guten Mann sein. Weit und breit keine Verbotsschilder zum Schutze der Grünflächen. Ein paar junge Typen spielen Boule, Frankreich ist nah.

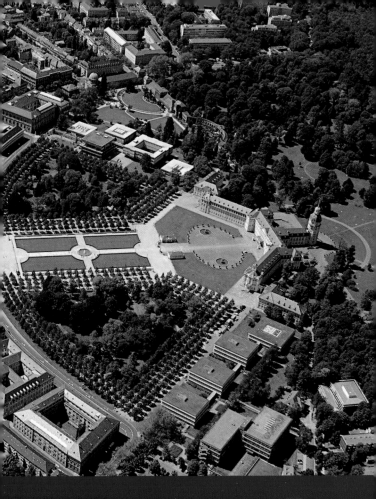

mmen!

Als in Karlsruhe vor 15 oder 20 Jahren – niemand erinnert sich genau – die Fenster aufgemacht wurden, um frischen Wind herein zu
lassen, war die Zeit angestaubter Konzepte in allen Museen, Aus-
stellungshallen und Veranstaltungsorten vorbei. Diese Stadt präsentiert sich erfrischend jung, was Werbetexter im Sommer 2003 auf
den Nenner brachten: »Karlsruhe – viel vor und viel dahinter«.

Willkommen!

Badisch – Sympathisch

Es gibt hier proportional nicht weniger gut oder schlecht gelaunte, freundliche oder unfreundliche Menschen als anderswo. Etwas mundfauler ist der Badener vielleicht, dafür aber auch verbindlicher, wenn es wichtig wird.

Die behäbige Beamtenmentalität und das ausschließliche Geradeaus-Denken gehören in Karlsruhe aber der Vergangenheit an. Diese kleinstädtischen Relikte wurden mit dem Wachstum der Stadt und der damit verbundenen Vielfalt an Lebensformen über Bord geworfen.

Querdenker sind nicht nur geduldet, sondern beliebt. Ärmelschoner gibt es nicht mehr, die damit verbundenen Geisteshaltungen nur noch selten. Mit dem Lokalpatriotismus verhält es sich anders. Das Badener Lied ist als Nationalhymne allgemeines Kulturgut. Und mit feuchten Augen erzählen junge Väter ihren Buben immer wieder vom legendären 7:0 Sieg des KSC über die Starkicker aus Valencia im Jahr 1993. Was das 3:2 der Deutschen über Ungarn bei der WM von 1954, bedeutete der KSC Sieg für die Karlsruher: »Endlich sind wir wieder wer«. Und diese Botschaft richtete sich vor allem an Stuttgart. Die Väter der Väter mit Sportverstand wissen auch noch, dass Gottfried Fuchs als jüdischer Fußball-nationalspieler vom Karlsruher FV 1912 für Deutschland stürmte und gegen Russland mit 10 Treffern die meisten Tore schoss, die je ein deutscher Nationalspieler in einem einzigen Spiel erzielte. Ja, es gab auch in Karlsruhe eine jüdische Gemeinde von Bedeutung. Ja, auch in Karlsruhe wütete der Nationalsozialismus und sorgte für die Deportation und Ermordung der Juden. Dabei gehört die Offenheit gegenüber anderen Religionen und fremden ethnischen Gruppen zu den prägnanten Kennzeichen von Stadtgeschichte und Aktualität.

Weltoffenheit einerseits, Lokalpatriotismus andererseits – und zwar bis hinein in die Stadtteile: Mit einem Schuss Selbstironie bezeichnen sich die Südstädter als ›Indianer‹, weil es dort einen Indianerbrunnen gibt, der in Zeiten fahrender Wildwest-Darsteller vom Schlage eines Buffalo Bill errichtet wurde. Viele Durlacher und Mühlburger nennen auch lange Jahre nach der Eingemeindung dieser Stadtteile Karlsruhe erst in zweiter Linie als ihre Heimat. Und wer die besseren Viertel in der Weststadt bewohnt, möchte nicht mit einem Oststädter tauschen, denn dann könnte er in die Nähe des ›Dörfles‹ kommen, das seine lange Geschichte als Viertel der Underdogs noch immer nicht ganz abgestreift hat.

Ganz ohne Wegweiser geht es im Botanischen Garten. Man mag den Ausgang erst gar nicht finden.

In Karlsruhe ist man recht zufrieden mit sich und der Welt bzw. der Stadt. »Wohne gerne in der Fächerstadt«. Das sagten bei jüngsten Umfragen 89 % der Befragten. Damit nimmt die Stadt in puncto Wohnzufriedenheit im süddeutschen Raum einen Spitzenplatz ein.

Eifersüchteleien spornen an

Seit dem Zusammenschluss von Baden und Württemberg zum Bundesland Baden-Württemberg im Jahr 1952 ist Karlsruhe nicht mehr Landeshauptstadt. Diese Funktion übernahm das größere Stuttgart. Der Verlust an Zentralität wirkt in Karlsruhe bis heute schmerzhaft nach. Und es geht nicht immer harmonisch zu zwischen den beiden Stiefschwestern. Die Größere wacht mit Argwohn darüber, dass ihr die Kleinere nicht den Rang abläuft, und die Kleinere fühlt sich oft schon aus Prinzip benachteiligt. Deshalb bemüht man in Karlsruhe auch gerne Superlative, wenn von der eigenen Stadt die Rede ist. Man sieht sich mit dem Sitz von Bundesverfassungsgericht und Bundesgerichtshof als ›Residenz des Rechts‹. Wem dies als Auszeichnung zu trocken und spröde ist, der bringt zur Sprache, dass Karlsruhe mit Berlin seit Jahren um den ersten Platz bezüglich der Gastronomiedichte in Deutschland wetteifert.

Außerdem verweist man bei den Superlativen auf die Jahresveranstaltung ›Das Fest‹ als größtes eintrittsfreies Open Air im süddeutschen Raum. Karlsruhe ist also voller Energie, allein schon, um im Wettbewerb mit Stuttgart nicht alt auszusehen.

»Ärmel hochkrempeln und energisch anpacken«. Eine andere Devise war hier nach dem Zweiten Weltkrieg gar nicht möglich. Als Frontstadt war Karlsruhe weithin ausgebombt und zerstört worden. Viele Wohn- und Repräsentationsbauten lagen 1945 in Schutt und Asche. 1967, anlässlich der Bundesgartenschau, konnte man dann auf 22 Jahre Knochenarbeit zurückblicken und das wieder aufgebaute Schloss bestaunen. Und aus dem Kriegsfeind Frankreich war inzwischen ein Freund geworden.

Von der Sonne verwöhnt

Zu den in Karlsruhe gerne genannten Superlativen gehört auch die Behauptung von der deutschen Stadt mit den meisten Sonnentagen übers Jahr. 1800 nämlich. Wer bietet mehr? Lustvoll ausnutzen kann man diesen Vorteil von Mai bis Oktober in den unzähligen Biergärten und Terrassenlokalen. Oder auf den populären Plätzen wie dem Ludwigsplatz als Treffpunkt der jüngeren Generation, dem Marktplatz als Forum und eigentlichem Paradeplatz der Stadt sowie dem Fasanenplatz als Kleinod im Dörfle.

Bebaute und nicht bebaute Flächen halten sich in Karlsruhe etwa die Waage, was auf genügend Auslauf ins Grüne schließen lässt. Mit dem Fahrrad in den Hardtwald, das bringt frische Luft in die Lungen. Auch im Naturschutzgebiet in den Rheinauen und vor allem im Schlossgarten und dem angeschlossenen Botanischen Garten ist der Himmel das schönste Dach über dem Kopf.

»Karlsruhe – Viel vor«

Der erste Teil des offiziellen Werbeslogans stellt Zauderer in die Ecke und macht denen Platz, die den Vorwärtsgang einlegen und sich gerne an neuen Projekten erproben. Mit den Herren Drais und Benz waren hier im 19. Jh. zwei Tüftler aktiv, denen es gelingen sollte, ›die Welt auf Räder zu stellen‹. Freiherr Karl Drais von Sauerbronn (1785–1851) entwickelte mit dem Laufrad den Vorläufer des Fahrrades, und Carl Benz (1844–1929) ließ sich von anfänglichen Misserfolgen auf seinem Weg zum Automobil nicht beirren. Im Felde der Wissenschaft müssen Heinrich Hertz (1857–1894) und Fritz Haber (1868–1934) genannt werden. Hertz entdeckte 1887 die elektromagnetischen Wellen und machte damit den Weg zur heutigen Informationstechnologie frei. Haber gelang 1909 die synthetische Herstellung von Ammoniak als wesentlichem Bestandteil von Kunstdünger, was auf die Welternährungssituation einen deutlich positiven Einfluss nehmen sollte. Blick nach vorne: Die Bewerbung Karlsruhes um den Titel ›Europäische Kulturhauptstadt 2010‹ ist im Herbst 2003 in die heiße Phase eingetreten. Ebenfalls im Herbst 2003 wurde die Neue Messe eingeweiht, was auf gesteigerte Ambitionen Karlsruhes als Messeplatz verweist. In der Innenstadt soll der Schienenverkehr in den nächsten Jahren als U-Bahn von der Straße genommen werden. Das große Areal des Schlachthofes am Durlacher Tor, Standort der beliebten Kultur- und Musikbühne ›Tollhaus‹, wird zur ›Kulturinsel Ost‹ um- und ausgebaut. Und der Rheinhafen ist gerade dabei, sein Potenzial als Ausflugs- und Veranstaltungsort zu entdecken. Pläne genug, um die große Party zum 300. Stadtgeburtstag im Jahre 2015 adäquat vorzubereiten.

»... und viel dahinter«

Die jüngste Großstadt Deutschlands wurde 1715 mit dem Bau des Residenzschlosses durch Markgraf Karl Wilhelm gegründet. Sein Grab auf dem Marktplatz wird durch eine große Pyramide aus Stein, dem Wahrzeichen Karlsruhes, überwölbt. Vom Residenzschloss aus erschließt sich die Innenstadt in einem Straßenfächer, dessen End- bzw. Anfangspunkt der begehbare Schlossturm darstellt. Es sollte nach dem Willen der Stadtgründer möglich sein, das Schloss von jedem Punkt der Stadt aus zu sehen.

Kunst und Kultur stehen in Karlsruhe seit der Stadtgründung hoch im Kurs. Und zwar nicht nur als Zeitvertreib für die höheren Schichten, sondern als Lebenselement für die gesamte Bevölkerung. Der Brand des von Friedrich Weinbrenner erbauten Hoftheaters im Jahre 1847 kostete 65 Menschen das Leben. Darunter gab es viele Dienstmädchen und Handwerksburschen, was darauf hinweist, dass schon früh eine breite Schicht am Theater interessiert war. Auch heute erlebt man in Karlsruhe eine angenehme Durchmischung und Vielfalt des kulturellen Angebots und seines Publikums. So nehmen sich das Staatstheater und das ›Tollhaus‹ als die beiden best besuchten Veranstaltungsorte der Stadt in keiner Weise die Butter vom Brot. Klassisches Theater, Kleinkunst, Avantgarde und Experiment – die Grenzen sind fließend, und das Publikum freut sich an Bekanntem ebenso wie an Neuem.

Dass Fortschritt in der ehemaligen Residenzstadt nicht nur postuliert, sondern in vielerlei Hinsicht praktiziert wird, verdankt sich auch ein gutes Stück dem Charakter der Stadt als Hochschul- und Hightech-Standort. Mit der ältesten Technischen Universität Deutschlands und mehreren Hochschulen für kulturschaffende Berufe fordert und fördert Karlsruhe auch bei der nachrückenden Generation die linke und rechte Gehirnhälfte in gleichem Maße. Rationalität und Emotionalität finden hier zu einer spannenden Balance, die sich unter anderem im vielseitigen Veranstaltungskalender der Stadt ausdrückt. Das jüngste Vorzeigeprojekt heißt ›Zentrum für Kunst und Medientechnologie‹ (ZKM) und macht in der Zusammenschau von Kunst und neuen Medien seit 1997 international Furore.

Karlsruhe in Zahlen

Bevölkerung: Als jüngste gewachsene Großstadt Deutschlands hat Karlsruhe heute knapp 300 000 Einwohner und ist dabei im vergangenen Jahrhundert um 200 000 Einwohner angewachsen. In der Stadt leben etwa 37 000 Ausländer, wobei Türken und Italiener zahlenmäßig deutlich überwiegen. Kulturell aktiv ist die Gruppe junger Süd- und Mittelamerikaner, was Karlsruhe zu einem überregionalen Treffpunkt von ›Latinos‹ macht. Circa 25 000 Studentinnen und Studenten an sechs Hochschulen prägen das Bild von Innen- und Oststadt.

Lage und Fläche: Karlsruhe liegt in der waldreichen Oberrheinebene am Rhein und nahe beim Schwarzwald. Stadtgebiet und Umland sind eben wie ein großes Brett und deshalb für Fahrradfahrer wie geschaffen. Die Nähe zu Frankreich fördert den interkulturellen Austausch und bereichert das gastronomische Angebot nicht nur um Flammkuchen und Baguette. 17 346 ha Stadtfläche werden von 82,4 km Stadtgrenze umschlossen, wovon 11,5 km entlang des Rheins auch die Landesgrenze von Baden-Württemberg zu Rheinland-Pfalz darstellen. Mit 29 % Grün- und Waldfläche und 27,6 % bebauter Fläche halten sich Natur und Städtebau auf angenehme Weise die Waage. Im Stadtgebiet gibt es 17 Naturschutzgebiete.

Verwaltung: Von 48 Sitzen im Gemeinderat gingen 1999 bei den Wahlen 22 Sitze an die CDU, 12 an die SPD, 5 an die Grünen, 5 an FDP/Aufbruch und 3 an KAL. Vorsitzender des Gemeinderates und Oberbürgermeister ist seit 1998 Heinz Fenrich (CDU).

Wirtschaft: Als Zentrum der ›TechnologieRegion Karlsruhe‹ gehört die Stadt zu den bedeutenden deutschen Hightech-Standorten. Zu den namhaften Unternehmen, die hier ihre Zentrale oder wichtige Niederlassungen haben, gehören u. a. Bosch, EnBW, L'Oréal, Michelin und Siemens. Der Rheinhafen zählt zu den großen europäischen Binnenhäfen und verzeichnet einen jährlichen Güterumschlag von ca. 6 Mio. Tonnen.

Geschichte

Der Marktplatz gilt als eine der schönsten klassizistischen Platzanlagen

1094
Die Gründung des Klosters Gottesaue zeigt, dass der historisch späten Stadtgründung von Karlsruhe nennenswerte siedlungsgeschichtliche Daten vorausgingen. Dazu zählen auch die Verleihung der Stadtrechte an Durlach (12. Jh.) sowie die Gründung von weiteren heutigen Stadtteilen, die lange als eigenständige Gemeinden existierten.

1565
Die Verlegung der Residenz des Markgrafen von Pforzheim nach Durlach gibt dem nordbadischen Raum eine neue geopolitische Bedeutung.

1689
Im Pfälzer Erbfolgekrieg werden bedeutsame Orte im Kurpfälzer Raum und der Rheinebene von französischen Truppen zerstört: neben Heidelberg und Baden-Baden auch Durlach.

1715
Die Grundsteinlegung für den Bau des Schlosses markiert die Stadtgründung von Karlsruhe durch Markgraf Karl Wilhelm.

1717
Der Markgraf verlegt die Residenz von Durlach nach Karlsruhe.

1766
Friedrich Weinbrenner wird geboren (1826 gestorben). Ab 1801 Baudirektor des Großherzogtums Baden, nimmt er maßgeblichen Einfluss auf die städtebauliche Entwicklung Karlsruhes.

1817
Karl Friedrich Drais von Sauerbronn konstruiert mit dem Laufrad (steht heute im Stadtmuseum) den Vorgänger des Fahrrades.

1818
Großherzog Karl unterzeichnet für Baden die freiheitlichste Verfassung des frühen Konstitutionalismus in Deutschland. Das 1822 eröffnete ›Ständehaus‹ war das erste deutsche Parlamentsgebäude.

1825
Gründung der Polytechnischen Schule als erster Technischen Universität Deutschlands.

1844   Mit Carl Benz wird einer der Urväter des Automobilbaus im heutigen Karlsruher Stadtteil Mühlburg geboren.

1848/49   Im Rahmen der bürgerlichen Revolution werden badische Freiheitskämpfer bei Durlach durch preußische Truppen besiegt. Damit endet in Karlsruhe die erste demokratische Republik auf deutschem Boden.

1893   Das erste deutsche Mädchengymnasium wird gegründet.

1929   Im Süden der Stadt wird unter Walter Gropius die Dammerstock-Siedlung im Bauhausstil errichtet.

1940   Die Deportation von 945 jüdischen Einwohnern nach Gurs in Südfrankreich dokumentiert eine schlimme Zäsur im historisch friedlichen Zusammenleben von Christen und Juden in Karlsruhe.

1945   Bei Kriegsende liegen ca. 35 % der Stadt in Trümmern. Die Bomben haben vor allem innerstädtische Kulturgüter und Wohngebiete getroffen.

1950   Karlsruhe wird zur ›Residenz des Rechts‹. Eröffnung des Bundesgerichtshofes, 1951 Einweihung des Bundesverfassungsgerichts.

1952   Durch die Zusammenlegung von Baden und Württemberg zu einem neuen Bundesland verliert Karlsruhe endgültig seine 230 Jahre alte Funktion als Landeshauptstadt.

1967   Die Bundesgartenschau schließt die große Aufbauleistung ab, die aus dem weithin zerstörten Karlsruhe wieder eine blühende und nahezu komplette Stadt gemacht hat.

1975   Beginn der Altstadtsanierung. Für die größte Flächensanierung im Nachkriegsdeutschland wird auch der größte Architekturwettbewerb durchgeführt, den man bis dahin in Deutschland kennt. Es nehmen 400 Büros aus 20 Ländern teil.

1997   Mit dem Bezug des Hallenbau A durch das 1988 gegründete Zentrum für Kunst und Medientechnologie ZKM erhält Karlsruhe eine zeitgemäße kulturelle Institution von Weltrang.

2003   Im September entscheidet der Gemeinderat, dass Karlsruhe am Auswahlverfahren ›Kulturhauptstadt Europas 2010‹ teilnehmen wird. Im Oktober wird die Neue Karlsruher Messe eingeweiht.

Industrieroboter in Aktion:
Arbeitswelten von morgen

Gut zu wissen

Abkürzungen

Manche Abkürzungen sind in Karlsruhe selbstverständlich geworden. Damit auch Gäste wissen, was damit gemeint ist, hier die ausgeschrieben Formen.

BNN: Badische Neueste Nachrichten. Seit langem die konkurrenzlose Tageszeitung mit regionaler Verbreitung.

KMK: Die Karlsruher Messe- und Kongress-GmbH organisiert neben dem Messegeschäft und dem Kongresswesen auch den Stadttourismus.

KVV: Karlsruher Verkehrbund (s. S. 15).

ZKM: Das 1997 eingeweihte Zentrum für Kunst und Medientechnologie gehört zu den Vorzeigeprojekten der Stadt und genießt internationales Interesse (s. S. 92).

Badener, nicht Badenser

Ärgerlich wird der Badener, wenn man ihn als ›Badenser‹ bezeichnet. Das gilt schon fast als Schimpfwort. »Man nennt die Frankfurter ja auch nicht ›Frankfurtser‹«, wird der Fremde aufgeklärt.

Badener Lied

Mit dem Verlust der Eigenständigkeit des Landes Baden und der Funktion Karlsruhes als Landeshauptstadt nach dem Zweiten Weltkrieg wurde das Badener Lied als ›Nationalhymne‹ noch populärer. Vermutlich Mitte des 19. Jh. nach dem Vorbild des Sachsenliedes

gedichtet, war es Anfang des 20. Jh. ein Marschlied badischer Soldaten. Wer zumindest die erste Strophe rezitieren kann, sammelt eine Menge Sympathiepunkte:

»Das schönste Land in Deutschlands Gau'n,
das ist mein Badner Land,
Es ist so herrlich anzuschau'n
und ruht in Gottes Hand.
(Refrain)
Drum grüß ich dich, mein Badner Land
Du edle Perle in deutschem Land.
Frisch auf, frisch auf, frisch auf,
frisch auf, frisch auf, frisch auf
mein Badner Land.«

›Beamtenstadt‹

Der Ruf Karlsruhes als ›Beamtenstadt‹ rührt aus der Geschichte der Residenzstadt, in der die meisten Menschen in Verwaltungsberufen und als Hoflieferenten arbeiteten. Mit dem Wachstum und der Industrialisierung der Stadt hat sich dieses Image überholt.

Dörfle

Im Straßendreieck Kaiserstr. / Fritz Erler Str. und Kapellenstr. befindet sich das Dörfle. Die historische Siedlung wurde in einer Chronik aus dem Jahr 1792 noch als ›Klein Karlsruhe‹ bezeichnet und 1812 als erster äußerer Stadtteil eingemeindet. Hier wohnten lange die

Underdogs der höfischen Gesellschaft. Heute ist diese Ecke der City vor allem ein studentisches Wohn- und Ausgehgebiet.

Gelbfüßler

Die Karlsruher und mit ihnen alle Badener werden oft etwas abfällig als ›Gelbfüßler‹ bezeichnet. Dieses Neck- und Schimpfwort hat einer der Legenden zufolge seine Wurzel im Schwarzwald, wo arme Leute ihr Schuhwerk einst aus Stroh flochten. Und Stroh ist bekanntlich gelb. Auch die gelben Gamaschen der badischen Truppen gaben zu dieser Legendenbildung Anlass.

Orientierung

Die Stadtanlage folgt dem Prinzip eines Fächers bzw. der Sonne mit dem Turm des Residenzschlosses als Mittelpunkt. Ursprünglich waren 32 Radialachsen geplant. Diese Zahl folgte der Mitgliederzahl des Fidelitas-Ordens, auf den sich der Stadtgründer bei der Entwicklung von Karlsruhe stützte. Zur Stadt hin zeigen sich die Achsen als neun historische Fächerstraßen mit Südausrichtung. Die mittlere der Fächerstraßen, die geradeaus zum Schloss hinführt, heißt Karl-Friedrichstraße. Entlang dieser Achse finden sich die Standbilder und Statuen der markgräflichen Familie. Fächerförmig verlaufen auch die Alleen in den nördlich vom Schloss gelegenen Hardtwald.

Stadtwappen

Das Stadtwappen in U-Form hat einen roten Hintergrund, der von einem goldenen Schrägbalken durchzogen wird. Auf diesem Balken steht ›FIDELITAS‹. Der Schriftzug ›Treue‹ erinnert an den Hausorden, der anlässlich der Stadtgründung ins Leben gerufen wurde. Das Wappen ist seit 1733 in Kraft, hat seine heutige Farbgebung allerdings erst 1895 erhalten.

TechnologieRegion Karlsruhe

Unter diesem Begriff haben sich 1987 die Gemeinden und Landkreise von Bruchsal bis Baden-Baden zu einer Gesellschaft zusammengeschlossen. Ziel ist dabei die Entwicklung und Positionierung der Region als Standort für hochtechnologische Forschung, Entwicklung und Produktion.

Karlsruher Verkehrsverbund (KVV)

Von Karlsruhe aus kann man mit der Stadtbahn in den Schwarzwald und nach Baden-Baden zu fahren, mit der Regionalbahn sogar bis ins Elsass nach Weißenburg. In der Stadt ist die Straßenbahn mit ›eingebauter Vorfahrt‹ unterwegs. An Ampelkreuzungen können die Wagenführer eigenständig auf ›Grün‹ schalten, um sich im Sinne eines zügigen Fortkommens die Vorfahrt zu nehmen.

Die Besonderheit des Straßenbahnsystems, bei Experten als ›Karlsruher Modell‹ bekannt, besteht darin, dass die Straßenbahnen außerhalb der Stadt auch auf Eisenbahnstrecken fahren können. Dafür entwickelten die Karlsruher Verkehrsplaner in Zusammenarbeit mit dem Elektrokonzern ABB einen Stadtbahnwagen mit Systemwechseleinrichtung. An bestimmten Stellen der Strecken wird für den Fahrgast fast unmerklich von Gleich- auf Wechselstrom umgeschaltet. Ab 2006 soll eine Untertunnelung der Innenstadt für den Schienenverkehr realisiert werden.

Reise-Infos

Anreise

Mit dem Auto

Karlsruhe liegt an der Autobahn A 5. Von den Abfahrten ›Durlach‹ bzw. ›Stadtmitte‹ ist das Zentrum über die Durlacher Allee bzw. die große Umgehungstangente in weniger als zehn Minuten erreicht.

Ein Leitsystem – grüne Schilder mit weißer Schrift – hilft ankommenden Besuchern, gebuchte oder ausgesuchte Hotels zu finden. Ebenso weist ein Parkleitsystem auf die ausreichend vorhandenen Parkhäuser im Innenstadtbereich hin.

Mit der Bahn

In Karlsruhe halten alle InterCity Express, Euro/InterCity und InterRegio-Züge. Der Bahnhof liegt wenige Minuten von der Innenstadt entfernt.

Das **Karlsruhe-Ticket** ermöglicht Gästen, die mit der Bahn nach Karlsruhe kommen, einen deutlichen Preisvorteil für die Zugfahrt. Voraussetzung: Die Fahrkarte wird in Karlsruhe bestellt und ist kombiniert mit der Buchung einer Übernachtung. Nähere Information: Tel. 07 21/37 20-53 88.

Mit dem Flugzeug

Der ›Baden-Airport‹ in Rheinmünster-Söllingen liegt etwa 30 km südlich von Karlsruhe an den Verkehrsadern A 5, B 36 und B 500. Seit September 2003 wird der Flughafen auch von Ryanair für Flüge nach London genutzt. In unmittelbarer Nachbarschaft des Baden-Airport stehen kostenlose Langzeitparkplätze zur Verfügung. Verbindungen nach Karlsruhe sind durch die Bahn und Zubringerdienste geregelt. Nähere Informationen: www.baden-airport.de.

Auskunft

Stadtinformation

Karl-Friedrich-Str. 9 (Marktplatz, Im Weinbrennerhaus), Innenstadt
Tel. 07 21/37 20-53 76
Fax 07 21/37 20-53 89
www.karlsruhe.de
S 1/11, 2, 4/41, 5, Tram 1–5; Marktplatz
Mo–Fr 9.30–19, Sa 10–16 Uhr
Verkauf von Veranstaltungstickets. Auslage von Informationsmaterial. Die Beratung ist aber weniger auf die Bedürfnisse von Besuchern zugeschnitten.

Touristinformation Karlsruhe

Bahnhofplatz 6, Südstadt
Tel. 07 21/37 20-53 83 oder -84
Fax 07 21/37 20-53 85
www.karlsruhe.de/tourismus
S 1/11, 2, 4/41, 5, Tram 1–5; Marktplatz
Mo–Fr 9–13 und 14–18, Sa 9–13 Uhr
Die Tourismusinformation bietet folgende Serviceleistungen an: Hotelzimmervermittlung, Kartenvorverkauf, Informationsmaterial, Buchung von Stadtrundfahrten, Tickets für Rheinfahrten mit dem Schiff ›Karlsruhe‹.

Behinderte

Die Stadt Karlsruhe wurde im November 2002 für ihre vielseitigen Aktivitäten beim Abbau von Erschwernissen für Menschen mit Behinderungen ausgezeichnet. Der in vierter Auflage vorliegende ›Stadtplan für Menschen mit Behinderungen‹ liegt bei der Stadtinformation am Marktplatz aus.
Nähere Information: www.2.karlsruhe.de/Service/Barrierefrei/

Fundbüros

Allgemeines Fundbüro der Stadt

Kaiserallee 8, Innenstadt
Tel. 07 21/1 33-32 70
S 1/11, 2, 5, Tram 1, 2, 3; Schillerstr.
Mo u. Mi 8–15, Di, Do, Fr 8–12,
Do auch 14–17.45 Uhr

Fundbüro des KVV

Tullastr. 71, Oststadt
Tel. 07 21/61 07-58 90
S 4/41, 5, Tram 1, 2; Tullastr.
Mo, Di, Mi, Fr 8–16, Do 8–17 Uhr
Was in Bussen oder Straßenbahnen verloren gegangen ist, findet sich hier vielleicht wieder.

Klima

1800 Sonnenstunden im Jahr – das ist deutscher Rekord. Von Mai bis Ende September kann man in Baden im Freien baden – wenn auch nicht Tag für Tag.

Notfall

Ärztlicher Notdienst

Tel. 07 21/1 92 92
Ein ›Arzt-Such-Service‹ (ASS) hilft unter Tel. 0800/7 39 00 99 bei der Suche nach Ärzten, Zahnärzten und Kliniken.
Zahnärztlicher Notdienst
Tel. 07 21/1 92 22

Polizei

Tel. 110

ADAC Pannenhilfe

Tel. 01802/22 22 22

Öffnungszeiten

Geschäfte öffnen in der Regel um 9 Uhr und haben werktags durchgehend bis 20 Uhr, samstags bis 16 Uhr geöffnet. Kleinere Läden machen zum Teil zwischen 13 und 15 Uhr für eine Stunde Mittagspause. Außerhalb des Stadtzentrums sind manche Geschäfte mittwochs nachmittags geschlossen.

Die **Museen und Sammlungen** der Stadt sind in der Regel montags geschlossen.

Die offizielle Lesart der Karlsruher **Sperrzeiten für Terrassenbewirtung:** So–Do 23 Uhr, Fr u. Sa 24 Uhr. An lauen Sommerabenden zeigt man sich bei der Stadtverwaltung jedoch flexibel. Dann lassen sich die Sperrzeiten per Fax-Antrag auch einmal verlängern. Die sympathische Philosophie des Gewerbeaufsichtsamtes: »So flexibel wie möglich, da die Gäste ihren Spaß haben wollen und Gastronomen Umsatz brauchen. So rücksichtsvoll wie nötig, um das Ruhebedürfnis der Anwohner nicht über die Maßen zu strapazieren.« Viele Clubs schließen auch unter der Woche erst um 3 Uhr.

Sicherheit

Straßenkriminalität ist hier (fast) ein Fremdwort. Diesbezüglich kritische Stadtteile oder Zonen gibt es nicht. Aufpassen sollte man auf blitzende Wegelagerer, die sich vor allem an der Südtangente in Form von elektronischen Geschwindigkeitskontrollen vermehrt aufhalten.

Reise-Infos

Unterwegs in Karlsruhe

ka-mobil – Die Mobilitäts-
zentrale Karlsruhe

Marktplatz, Innenstadt
Im Weinbrennerhaus
Tel. 07 21/61 07-57 90
S 1/11, 2, 4/41, 5, Tram 1–5;
Marktplatz
www.ka-mobil.de
Mo–Fr 9.30–19, Sa 10–16 Uhr
Verkauf von Tickets für Bahnen und
Busse, Fahrplanauskünfte, Informatio-
nen zum Radwegenetz und zu Fahrrad-
verleih sowie Fahrradwerkstätten, zu
Mitfahrzentralen, Autovermietung und
Car-Sharing, Verkauf von Radwander-
karten, Tickets für Stadtrundfahrten und
Schiffstouren auf dem Rhein, Veran-
staltungstickets.

Autovermietung
Europcar und Sixt
Hauptbahnhof, Südstadt
Europcar: Tel. 07 21/3 84 16 37
Sixt: Tel. 07 21/3 13 22
S 4/41, 5, Tram 1, 2; Tullastr.
AVIS Autovermietung
Stuttgarter Str. 27, Südstadt
Tel. 07 21/37 28-0
Tram 3; Tivoli

Ballonrundfahrten
Wer sich diese besondere Art der Stadt-
und Umlandbesichtigung erlauben will,
bucht telefonisch oder online bei ›Ge-
mini Ballooning‹, Tel. 07 21/7 56 92 00,
www.gemini-ballooning.de
Die Starts zu der ein- bis anderthalb
stündigen Fahrt erfolgen im Schlossgarten oder in der Günther-Klotz-Anlage. Mo–Fr vormittags kostet der Spaß
im Körbchen 130 € pro Person, Mo–Do
abends 165 € und Fr–So abends 190 €.

Fahrradverleih
Die Radecke – Fahrrad Müller
Friedenstr. 2, Weststadt
Tel. 07 21/81 21 83
Tram 2, 4, 6; Karlstor
Mo–Fr 9–13 und 14–18.30 Uhr
Verleih tageswise ab 9 €, Kaution ge-
wünscht. Es stehen vier bis fünf Fahr-
räder zur Verfügung.

Öffentliche Verkehrsmittel
Verkehrszeiten und Takte
Die innerstädtischen Straßenbahnen
fahren wochentags von 5 bis 1 Uhr. In
den Hauptverkehrszeiten zwischen 6
und 20 Uhr verkehren sie im 10-Minu-
ten-Takt, außerhalb dieser Zeiten im
20- oder 30-Minutentakt. Die Nacht-
busse fahren freitags und samstags bis
3 Uhr.

Mike's Bike

Martin Schmidt verfügt über
mehr als 40 Leihräder und ist
damit die erste und beste
Adresse zu dieser Dienstleistung
in Karlsruhe. Es gibt auch Tan-
dems und zwei Rikschas (mit
Fahrern) zu mieten. **Für Du-
Mont-Leser gibt es bei Vor-
lage des DuMont direkt
Karlsruhe auf alle Leistungen einen Mindestrabatt
von 15 %.**
Sophienstr. 180, Weststadt
Tel. 07 21/85 54 94
www.mikes-bike.de
S 1, 2, 5, Tram 2, 3; Yorckstr.
Di–Fr 15–20, Sa 10–14,
Okt.–Feb. bis 19 Uhr, Pannen-
dienst tgl. 10–22 Uhr
Verleih tages- und halbtages-
weise, ab 10 € pro Tag.

Preise

Einzelfahrt Kurzstrecke/1 Zone: Erw. 1,40 €, Kinder (6–14 Jahre) 0,90 €. Gesamtes Stadtgebiet: Erw. 1,90 €, Kinder 0,90 €. – Bei mehreren Kindern bezahlt nur das erste Kind.

24 Std. Karte Stadtgebiet 4 €, bei Mitnahmemöglichkeit von bis zu vier Personen 6 €.

24 Std. Karte Region (gesamtes KVV-Netz) 7 €, bei Mitnahmemöglichkeit von bis zu vier Personen 10,50 €.

Ticketverkauf

Die Tickets werden an den Automaten der Haltestellen gekauft. Verkauf und Information auch in der Mobilitätszentrale (s. S. 18).

Fahrradmitnahme

Die Bahnen des KVV nehmen Fahrräder im Allgemeinen kostenlos mit, aber nur dann, wenn es der Platz in den Waggons auch erlaubt.

Information

KVV-Servicetelefon
07 21/61 07 58 85 oder www.kvv.de.

Schiffstouren

Mit dem Fahrgastschiff ›Karlsruhe‹ kann man auf dem Rhein Ausflugsfahrten nach Speyer, Worms, Iffezheim oder Straßburg unternehmen.

Tickets: Touristinformation, Bahnhofplatz 6 (s. S. 16), Stadtinformation, Karl-Friedrich-Str. 9 (s. S. 16) oder 45 Minuten vor Abfahrt an der Abfahrtsstelle: Werfstr. 2, Becken II
(Rheinhafen)
Tel. 07 21/599-74 24
www.fahrgastschiff-karlsruhe.de
Tram 5; Rheinhafen

Stadtrundfahrten

KMK-Tourismus veranstaltet regelmäßige zweistündige Stadtrundfahrten per Bus: April–Okt. Sa und So 10.45 Uhr, Nov.–März am 2. Sa des Monats um 10.45 Uhr.

Abfahrt: Ecke Bahnhofstr./Bahnhofplatz S 1, 11, Tram 2, 3, 4, 6; Hauptbahnhof

Erw. 9 €, Kinder bis 14 Jahre 4 €

Information und Anmeldung bei Stadtinformation und Touristinformation s. S. 16.

Stadtführungen

Stadtführungen werden vom **KMK-Tourismus** lediglich für Gruppen angeboten. Diese Lücke besetzt mit Erfolg und interessanten Themenführungen:

StattReisen Karlsruhe e.V.
Hübschstr. 19, Weststadt
Tel. 07 21/1 61 36 85
www.stattreisen-karlsruhe.de
Tram 5, Bus 55; Hübschstr.
Ca. 90-minütige Themenrundgänge, So 11 und 14 Uhr, Treffpunkte je nach Thema unterschiedlich.
Erw. 6 €, ermäßigt 5 €
Zu fast allen besonderen Stadtteilen und Bezirken gibt es eine interessante Führung (s. S. 77).

Taxi

Taxi-Funk-Zentrale
Tel. 07 21/94 41 44
Die wichtigsten Taxistände in der Innenstadt finden sich beim Schloss (Ecke Lammstr./Kaiserstr.), am Europaplatz und am Mühlburger Tor sowie am Durlacher Tor. Auch das Staatstheater verfügt über einen Taxistand.

Mini-Car

Tel. 07 21/56 50 50
Die Autos dieser Gesellschaft transportieren ihre Gäste etwas preisgünstiger als Taxis. Die Fahrzeuge können nur telefonisch bestellt werden.

Zu Gast in

Nicht ohne Grund bewirbt sich Karlsruhe um den Titel ›Europäsche Kulturhauptstadt 2010‹: In der Fächerstadt verbinden sich Architektur, Kunst, Hochschulen, Zukunftstechnologien, Musik, Gastronomie und nicht zuletzt Lebenslust zu einem beeindruckenden Gesamtbild. Für Geschäftsreisende gibt es hier ebenso reizvolle Entdeckungen zu machen wie für alleinreisende Kurzurlauber und Familien.

Karlsruhe

Karlsruhe ist von der Sonne verwöhnt, was man im Schlossgarten ebenso genießen kann, wie in unzähligen Biergärten und Straßencafés oder an benachbarten Badeseen. Die vom nahen Frankreich beeinflusste Gastronomie lässt Genießerherzen höher schlagen. Viele Geschäfte fallen aus dem Rahmen des üblichen Kettenangebotes, was einen Bummel durch die Fächerstraßen umso schöner macht.

Übernachten

Hotels als ›Räume für Gestaltung und Kunst‹ – z. B. im Hotel Der Blaue Reiter

Hotelangebot in Karlsruhe

Die Gästestruktur Karlsruhes weist seit langem einen hohen Anteil an Geschäftsreisenden auf. Der größte Anteil der im Jahr 2002 verzeichneten 600 000 Übernachtungen entfällt auf Besucher von Messen, Kongressen und Firmen. ›Dorint‹, ›Queens‹ und andere Businesshotels richten ihre Angebote vor allem an diese Klientel.

Wer anspruchsvolle Hotelaufenthalte gerne mit Tradition und Lokalkolorit verbindet, liegt im ›Schlosshotel‹ oder im ›Kaiserhof‹ richtig. Beide gehören außerdem als ›erste Adressen‹ zur Stadtgeschichte und bieten einwandfreie Leistungen zu fairen Preisen. Die ›Maison Suisse‹, ein kleines, feines Haus in Durlach, wurde von der Fachpresse zu Recht in die Reihe der besten deutschen Kleinhotels aufgenommen. Und wer die im schönsten Sinne des Wortes ›verrückte‹ Hotelwelt Kübler kennen lernt, nimmt keinen Schaden.

In die Empfehlungsliste wurden vor allem Hotels in der Innenstadt aufgenommen. Familienbetrieben wie dem ›Hotel Hasen‹ oder dem ›Berliner Hof‹ kommt dabei besondere Aufmerksamkeit zu. Auch regionaltypische Häuser wie der ›Hoepfner Burghof‹ fehlen nicht.

Rabatte

Deutliche Preisnachlässe bieten viele Stadthotels für Wochenendgäste freitags bis montags an. Es lohnt sich, für solche Angebote einen Blick auf die Websites der Hotels zu werfen.

Alle Hotels und Pensionen bieten Promotionpreise je nach Saison (z. B. spezielle Weihnachtspreise) an. Außerdem sind bei den meisten Hotels Sonderkonditionen je nach Vereinbarung und Belegung möglich.

Leitsystem

Ein Leitsystem hilft Gästen, die mit dem Auto anreisen, gesuchte Hoteladressen zu finden. An den wichtigen innerstädtischen Kreuzungen, Knotenpunkten und Wegführungen sieht man grüne Hinweisschilder mit den Hotelnamen in weißer Schrift.

Preisniveau

Günstig	DZ bis	90 €
Mittel	DZ bis	110 €
Gehoben	DZ bis	160 €
Luxus	DZ ab	160 €

Die angegebenen Preise beziehen sich auf ein Doppelzimmer inklusive Frühstück und verstehen sich als Richtpreise für 2004.

Günstige Hotels & Pensionen

Hotel Berliner Hof (E 3)

Douglasstr. 7
Weststadt
Tel. 07 21/18 28-0
Fax 07 21/18 28-100
www.hotel-berliner-hof.de
S 1/11, 2, 5, Tram 1–4, 6; Europaplatz
55 Zimmer, DZ 85–96 €,
am Wochenende 80–85 €
Ein empfehlenswertes Garni mit geräumigen Zimmern im Stil der 70er Jahre. Es gibt auch rollstuhlgerechte Räume. Das Frühstück ist reichhaltig und gut. Sauna und Solarium können kostenfrei genutzt werden.

Hotel Erbprinzenhof (E 4)

Erbprinzenstr. 26
Innenstadt
Tel. 07 21/2 38 90
Fax 07 21/2 69 50
www.hotel-erbprinzenhof.de
S 1/11, 2, 5, Tram 1, 3, 4; Herrenstr.
48 Zimmer, DZ ab 75 €,
am Wochenende ab 70 €
Eines der wirklich günstigen und dabei sehr angenehmen Garni Hotels in der Innenstadt. Von außen unauffällig, innen gepflegt. Von Familie Kehrwald seit den 50er Jahren mit viel Sinn für persönlichen Service geführt und bezüglich der Annehmlichkeiten immer wieder auf den zeitgemäßen Stand gebracht.

Hotel Greif (E 7)

Ebertstr. 17
Südstadt
Tel. 07 21/35 54-0
Fax 07 21/35 54-192
Tram 2, 4, 6; Ebertstr.
92 Zimmer, DZ 78 €,
am Wochenende 66 €
Einziges ›Motorradfahrerhotel‹ in der Stadt. Abstellplätze und kleine Werkstatt für Motorräder sind vorhanden. Das bahnhofsnahe Garni ist in der Szene sehr beliebt.

Hotel Markgräfler Hof (J 4)

Rudolfstr. 31/Ecke Durlacher Allee
Oststadt
Tel. 07 21/6 27 68-600
Fax 07 21/69 53 32
www.hotel-markgraefler-hof.de
S 5, Tram 1, 2; Gottesauer Platz
22 Zimmer, DZ 81 €
Das familiengeführte Hotel-Garni wurde jüngst modernisiert und verfügt über hohe Altbauzimmer. Da es direkt an der Durlacher Allee liegt, muss man auf Verkehrsgeräusche etwas eingestellt sein.

Hotel Rio (D 4)

Hans Sachs Str. 2
Weststadt
Tel. 07 21/84 08-0
Fax 07 21/84 08-100
www.hotel-rio.de
S 1/11, 2, 5, Tram 1–3, 6;
Mühlburger Tor
119 Zimmer, DZ ab 84 €,
am Wochenende ab 77 €
Die Besitzer haben in den vergangenen Jahren viel in die Renovierung von Haupt- und Nebenhaus investiert. Das Ergebnis kann sich sehen und bewohnen lassen: Komfort und Modernität haben neben dem Mühlburger Tor Einzug gehalten. Die Klientel besteht größteils aus Geschäftskunden, weshalb die Wochenendpreise hier günstig ausfallen.

Pension Stadtmitte (G 4)

Zähringer Str. 72
Innenstadt
Tel. 07 21/38 96 37
Fax 07 21/38 96 37
S 2, 4/41, 5, Tram 1–5;

Hotelzimmer oder Theaterlandschaft? Von beidem etwas, und es scheint den Gästen der ›Hotelwelt Kübler‹ zu gefallen.

Kronenplatz/Universität
12 Betten, DZ ab 72 €
Eines der ersten Angebote nach dem Zweiten Weltkrieg für Übernachtungsgäste in Karlsruhe, die es sich nicht leisten konnten, nach dem Schlosshotel zu fragen. Nach wie vor ein ordentlich geführtes Haus. Man sollte aber wissen, dass sich in der Nachbarschaft das Rotlichtmilieu befindet, was allerdings nur wenige Gäste stört.

Mittelklassehotels

Alleehotel (B 3)
Kaiserallee 91
Weststadt
Tel. 07 21/98 56 10
Fax 07 21/98 56 111
S 2, 5, Tram 2; Händelstr.

40 Zimmer, DZ 90–110 €
Das privat geführte Hotel wurde im Jahr 2001 umfassend renoviert. Sehr angenehmes und großzügiges Ambiente und eine gute Küche zeichnen das Haus aus und schaffen ein gutes Preis-Leistungs-Verhältnis.

Gästehaus Alte Münze (D 4)
Sophienstr. 24–26
Innenstadt
Tel. 07 21/2 49 81
Fax 07 21/1 80 21 70
www.karlsruhe-hotel.de
Tram 2, 4, 6; Karlstor
35 Betten, DZ ab 97 €,
am Wochenende ab 89 €
Gehört zu einer kleinen privaten Gruppe zentral gelegener und sehr gut ausgestatteter Garni-Hotels (s. auch Alfa-Hotel, S. 27).

AAAA-Hotelwelt Kübler (E 3)

Mitten in der Stadt bastelt der Hotelier, Gastronom, Baggerführer und Fantast Siegfried Weber an der Verwirklichung seines Traumes: eine Hotellandschaft, in der die Gäste aus dem Staunen nicht mehr herauskommen. So fügt Weber dem elterlichen und konventionellen Stammhaus ›Hotel Kübler‹ im angrenzenden Park ein Panoptikum an Bauten hinzu. In großen Gebilden, die als Anleihen an Dalí und Gaudí interpretiert werden können, wohnt man in großen Köpfen, Zipfelmützen, weit geschwungenen Dachbändern, Türmen oder Fabelwesen. Man darf wählen zwischen der europäischen Interpretation japanischer Schlafröhren, einem ›Igluzimmer‹, einem ›Kerker-‹ oder einem ›Kaiserzimmer‹. Das ›Baggerzimmer‹ in der Zipfelmütze eines lustig aussehenden ›Hausmannes‹ führt dem alten Chassis eines Baggers eine bisher kaum bekannte Funktion zu: Das Zimmer dreht sich im Laufe eines Tages um die eigene Achse und folgt dabei der Bewegung der Sonne.

Weber ist ein Technikfreak und treibt die Entwicklung seiner Hotellandschaft stetig vorwärts. Vielen Gästen macht das Spaß, auch wenn man hier wohl noch länger auf einer Baustelle wohnt. Dass er polarisiert und nicht nur Freunde hat, begreift der Querdenker als Teil seiner Lebensphilosophie. Er will es nicht jedem recht machen und überlässt dies lieber seinen Service-Robotern, die unter den Namen ›Mary‹, ›Mortimer‹ und ›Viper‹ bald die Minibars in den Zimmern überflüssig machen – und frisch gebrautes Bier auf die Zimmer bringen sollen.

Es gäbe noch sehr viel zu erzählen zur Hotelwelt Kübler, die sich mit den vier ›A‹ am Anfang in allen Hotellisten ganz an die Spitze schmuggelt. Weber bekennt sich auch in dieser Frage zum Guerilla-Marketing und erklärt sein Projekt mit einem »Anders als alle Anderen«. Wer will da schon widersprechen?

Stephanienstr. 38–40, Innenstadt, Tel. 07 21/14 40, Fax 07 21/14 44 41
www.hotel-kuebler.de. S 1/11, 2, 5, Tram 1–4, 6; Europaplatz
200 Zimmer, DZ 82–200 €, am Wochenende 65–200 €

Hoepfner Burghof (J 3)
Haid- und Neustr. 18
Oststadt
Tel. 07 21/6 18 34 00
Fax 07 21/6 18 34 03
www.hoepfner-burghof.com
S 2, Tram 4, 5; Hauptfriedhof
16 Zimmer, DZ 98 €,
am Wochenende 82 €
Die 16 Zimmer dieses burgähnlichen Dreisterne-Hotels sind sehr gemütlich eingerichtet und verfügen über Internetanschluss. Zu dem Haus am Stadtrand gehört ein Restaurant mit guter badischer Küche und ein großer Biergarten. Fahrräder können ausgeliehen werden.

Hotel am Markt (F 4)
Kaiserstr. 76
Innenstadt
Tel. 07 21/9 19 98-0
Fax 07 21/9 19 98-99
www.hotelammarkt.de
S 1/11, 2, 4/41, 5, Tram 1–5;
Marktplatz
49 Zimmer, DZ 97 €,
am Wochenende 87 €
Ende der 90er Jahre wurde das sehr zentrale gelegene Garni-Hotel mit Auf-

Übernachten

wand und Geschmack renoviert. Die Zimmer sind komfortabel ausgestattet.

Hotel-Café Am Tiergarten (F 7)

Bahnhofplatz 6
Südstadt
Tel. 07 21/9 32 22-0
Fax 07 21/9 32 22-44
www.am-tiergarten-karlsruhe.de
S 1/11, 4/41, Tram 2–4, 6;
Hauptbahnhof
28 Zimmer, DZ 99 €,
am Wochenende 79 €

Ein preiswertes Hotel am Bahnhof, dessen Lage sich um ein vielfaches verschönt, wenn man ein Zimmer mit Blick in den Zoo bewohnt.

Hotel Der Blaue Reiter (Durlach A 2)

Das 2001 eröffnete Hotel in Durlach ist großzügig, modern und sehr geschmackvoll eingerichtet. Namensgebend war die Künstlergruppe ›Der Blaue Reiter‹ mit Malern wie Kandinsky, Marc, Macke und Klee. Zeugnisse ihres Schaffens schmücken die Wände des in klaren Konturen gebauten Hotels. Das einbezogene Restaurant stellt badisch-bayerische Schmankerl in den Mittelpunkt. Wer nach ausführlichen Stadtbesichtigungen also gerne in der romantischen Vorstadt Durlach wohnt, ist hier bestens aufgehoben.

Amalienbadstr. 16
Durlach
Tel. 07 21/9 42 66-0
Fax 07 21/9 42 66-42
www.hotelderblaueereiter.de
Tram 1, 2; Friedrichschule
39 Zimmer, DZ 100 €,
am Wochenende 89 €

Hotel Blankenburg (G 4)

Kriegsstr. 90
Innenstadt
Tel. 07 21/9 32 69-0
Fax 07 21/9 32 69-60
S 1/11, 4/41, Tram 2, 5; Ettlinger Tor
36 Zimmer, DZ ab 90 €,
am Wochenende ab 70 €

Etwas laut, da an der Kriegsstraße gelegen, aber andererseits unmittelbar gegenüber dem Staatstheater. Bemerkenswert ist der schöne Frühstücksraum des von der Familie Lukat geführten Hotel Garni.

Hotel Hasen (K 4)

Gerwigstr. 47
Innenstadt
Tel. 07 21/96 37-0
Fax 07 21/96 37-123
www.hotel-hasen.de
S 5, Tram 1, 2; Tullastr.
49 Zimmer, DZ 121 €,
am Wochenende ab 90 €

Ein stilvolles Haus mit sehr guter Küche (Restaurantbetrieb Mo–Fr). Die Zimmer sind zweckmäßig und modern eingerichtet, der Frühstücks- und Restaurantraum animieren durch helle Farben und eine dezente Noblesse zum längeren Sitzen und Genießen.

Hotel Maison Suisse (Durlach A 3)

Hildebrandstr. 24
Durlach
Tel. 07 21/40 60 48
Fax 07 21/49 59 96
www.maison-suisse.de
S 4/41, 5; Bahnhof Durlach
15 Zimmer, DZ 86–132 €

Im Jahr 2000 von der Fachpresse zu den schönsten Privathotels Deutschlands gezählt. Wer die Mischung aus modernem Barock, Allgegenwart frischer Blumen und perfektem Service

Karlsruhe hat die meisten Sonnenstunden in Deutschland. Deshalb empfehlen sich Übernachtungsmöglichkeiten mit Terrassen natürlich ganz besonders.

mag, liegt hier richtig. Gäste können auch Fahrräder leihen.

Hotel Royal (F 4)

Kriegsstr. 94
Innenstadt
Tel. 07 21/9 33 80 50
Fax 07 21/35 99 25
www.hotel-royal-karlsruhe.de
S1/11, 4/41, Tram 2, 5; Ettlinger Tor
30 Zimmer, DZ 90–105 €
Schönes Haus in der ehemaligen Hotelzeile der Stadt am heutigen Staatstheater. Das Gebäude aus dem frühen 19. Jh. wurde jüngst mit viel Liebe zum Detail restauriert und verbindet jetzt historische Stilelemente mit geschmackvoller Modernität. An der internationalen Bar gibt es Cocktails, die zu den besten der Stadt gehören und auch von Heimschläfern genossen werden. Ein Haus, dem man gerne das Prädikat ›preiswert‹ zueignet.

Gehobener Komfort

Alfa Hotel (E 4)

Bürgerstr. 4
Innenstadt
Tel. 07 21/2 99 26
Fax. 2 99 29
www.karlsruhe-hotel.de
S 1/11, 2, 5, Tram 1–4, 6; Europaplatz
38 Zimmer, ab 119 €,
am Wochenende 100 €
Gehört zu einer jungen lokalen Kleinkette mit modernen bis luxuriösen Garni-Hotels. Im Haus findet sich das Restaurant ›Mövenpick-Marché‹. Vergleichbar hohe Standards und Preise findet man auch in den anderen Hotels des Besitzers Stripf. Sie heißen ›Ambasador‹ (Hirschstr. 34–36, Tel. 07 21/ 1 80 20) und ›Avisa‹ (Am Stadtgarten 5, Tel. 07 21/3 49 77). Günstiger in dieser Gruppe ist das ›Gästehaus Alte Münze‹ (s. S. 25).

Übernachten

Dorint Kongress-Hotel (F 5)

Festplatz 2
Südstadt
Tel. 07 21/35 26-0
Fax 07 21/35 26-100
www.dorint.de
S 1/11, 4/41, Tram 5; Konzerthaus
246 Zimmer, DZ ohne Frühstück
135–195 €,
am Wochenende 90–105 €,
Frühstück 16 € pro Person
Das 2002 eröffnete Hotel liegt unmittelbar neben dem Kongresszentrum und richtet sein Angebot an die oberen 10 000 der Geschäftsreisenden in Karlsruhe. Die Einrichtung erinnert an Chefetagen, in denen die Schreibtische gegen Betten ausgetauscht wurden: komfortabel, clean, Luxus und Leder, die rote Rose im Wasserglas.

Hotel Kaiserhof (F 4)

Karl-Friedrich-Str. 12
Innenstadt
Tel. 07 21/91 70-0
Fax 07 21/91 70-150
www.hotel-kaiserhof.de
S 1/11, 2, 4/41, 5, Tram 1–5; Marktplatz
54 Zimmer, DZ 125 €,
am Wochenende 100 €
Jüngst renoviertes Traditionshaus am Marktplatz, in dem schon Kaiser Wilhelm auf seiner Reise nach Baden-Baden nächtigte. Hier ist ›Verwöhnung auf badische Art‹ angesagt: großzügig geschnittene und gleichermaßen modern wie gemütlich eingerichtete Zimmer und Appartements. Zwei Zimmer sind auch für Rollstuhlfahrer problemlos erreichbar und bequem eingerichtet. Besonders schön: das Appartement mit Dachterrasse (als Doppelzimmer 145 €, als Einzelzimmer 120 €). Auch das Hotelrestaurant mit feiner Regionalküche gehört zu den Adressen, die man sich in Karlsruhe gerne ab und zu leistet.

Queens Hotel (F 6)

Ettlinger Str. 23
Südstadt
Tel. 07 21/37 27-0
Fax. 37 27-17 0
www.queens-hotels.com/karlsruhe
S 1/11, 4/41, Tram 2; Augartenstr.
147 Zimmer,
DZ ohne Frühstück 119–130 €,
Frühstück 14 € pro Person,
am Wochenende 103–114 € inklusive Frühstück
›Quadratisch, praktisch, gut‹. – Wäre dieser Slogan nicht schon für Schokoladentafeln vergeben – hier würde er passen; zumindest wenn man sich an den Erwartungen von Geschäftsreisenden orientiert. Ob die Gäste von den kostenlosen Leihfahrrädern häufig Gebrauch machen, darf ein wenig angezweifelt werden. Eher auf ihre Bedürfnisse zugeschnitten sind sicher die Mittwochabende mit Live-Pianomusik in der Hotelbar (19–22 Uhr).

Luxushotels

Schlosshotel (F 7)

Bahnhofplatz 2
Südstadt
Tel. 07 21/38 32-0
Fax 07 21/38 32-333
www.schlosshotel-karlsruhe.de
S 1/11, 4/41, Tram 2–4, 6; Hauptbahnhof
96 Zimmer, DZ 165 €
am Wochenende 114 €
Eine der renommierten Traditionsadressen der Karlsruher Hotellerie. Schon in den 50er Jahren, als der ›Bambi‹ des Hauses Burda noch in Karlsruhe verliehen wurde, der bevorzugte Platz von angereisten Film- und Fernsehstars. Auch heute noch ein aufmerksam geführtes Haus mit gutem Restaurant, das

Luxus außerhalb

Luxus pur erlebt man im nahen **Baden-Baden** (30 Minuten Autofahrt) in Brenners Parkhotel (www.brenners-park.de), oder – noch näher – im Hotel Erbprinz im Karlsruhe benachbarten **Ettlingen** (www.erbprinz.de) und in der Villa Hammerschmiede in **Pfinztal-Söllingen** (www.villa-hammerschmiede.de). Erste Eindrücke von dieser vornehmen Art des Hotellebens vermitteln die Internetseiten der genannten Häuser.

durch ein gutes Preis-Leistungs-Verhältnis überzeugt.

Bed & Breakfast

bed & breakfast-Agentur Karlsruhe (außerhalb)

Karin Gilliar-Ramel
Frühlingstr. 34
76275 Ettlingen
www.bed-and-breakfast.de/karlsruhe
Tel. 0 72 43/52 66 82
Fax 0 72 43/ 52 66 83
EZ 24–34, DZ 47–60 €
Diese Agentur hat sich lange bewährt und arbeitet auch mit der Touristinformation zusammen. Anfragen nach Privatzimmern können sich also auch an die Tourismusinformation (s. S. 16) richten.

Camping

Azur Camping ›Turmbergblick‹ (Durlach D1)

Tiengener Str. 40

Durlach
Tel. 07 21/49 72-36
Fax 07 21/49 72-37
www.azur-camping.de
Tram 1, 2; Durlach Turmberg
1. April–15. Nov.
Erw. 4,50–6 € pro Tag, Kinder 3,50–4,50 €, Stellplatz PKW 5,50–7,50 €
Der gut besuchte Platz verfügt u. a. über Stellplätze für Reisemobile (inkl. Ver- und Entsorgungsmöglichkeiten), einen Imbiss, SB-Markt und Waschmaschinen.

Jugendherberge (E 2/3)

Moltkestr. 24
Innenstadt
Tel. 07 21/2 82 48
Fax 07 21/2 76 47
www.jugendherberge-karlsruhe.de
S1/11, 2, 5, Tram 1–4, 6; Europaplatz
164 Betten, überwiegend in Vier-Bett-Zimmern.
Schließzeit: 23.30 Uhr
Preis pro Bett und Nacht inkl. Frühstück: erste Übernachtung 17,30 € bis 26 Jahre, ab 27 Jahre 20 €. Ab der zweiten Übernachtung 14,20 € bzw. 16,90 €.
Die sehr zentral am Schloss sowie an nahen Spiel- und Waldflächen gelegene Jugendherberge ist für Familien und Alleinreisende eine gute Alternative zu Hotels und Pensionen. Es gibt auch Zwei-Bett-Zimmer. Die Herberge bietet Halbpension und Vollpension an.

Die Mitgliedschaft im Deutschen Jugendherbergswerk oder einem ausländischen Jugendherbergsverband ist Voraussetzung für die Aufnahme in Jugendherbergen. Sie kann bei Ankunft in der Jugendherberge direkt erworben werden (Jahresbeitrag für Erwachsene: 20 €).

Essen & Trinken

Es ist angerichtet: Küche und Keller haben hier viel zu bieten.

»Essen und Trinken hält Leib und Seele zusammen«. Der auf Keramik gebrachte Spruch gehörte besonders in Baden zum üblichen Wandschmuck heimischer Küchen. Erst die IKEA-Generation löste ihn ab, ohne ihm seinen Sinn zu nehmen. Nach wie vor lässt man sich hier gerne am Tisch nieder, um das Essen zu genießen. Und dazu gibt es in Karlsruhe reichlich Angebote, streitet sich die Stadt doch seit Jahren trefflich mit Berlin um die größte Dichte an gastronomischen Betrieben in Relation zur Bevölkerungszahl.

Wenn es regionale Küche sein soll, dann denkt man in Baden natürlich an Spargel, Maultaschen, Kartoffelsuppe, Zwetschgenkuchen oder Schwarzwälder Kirschtorte, deren Rezeptur Anfang des 20. Jh. erstmals im Kochbuch einer Karlsruher Hausfrauenschule auftauchte. Auch die echte badische Bretzel mit kross gebackener Schleife und weichteigigem Außenteil gehört dazu. Flädlesuppe, Schupfnudeln und Schäufele (Nackenfleisch vom Schwein) beanspruchen hingegen schon wieder die Schwaben für sich, ohne deshalb ein Verzehrverbot für Badener auszusprechen. Wer die badische Küche kennenlernt, hat sicher seine Freude daran.

Ein bisschen Frankreich in der Küche gehört ebenfalls zu den Karlsruher Besonderheiten. Und dies nicht nur in Gourmetrestaurants wie dem Durlacher ›Ochsen‹ oder dem ›Dudelsack‹ in der Waldstraße. Auch in populären Restaurants wie dem ›Viktoriagarten‹ oder der ›Hansjakob-Stube‹ kann man Zeuge einer geschmackvollen deutsch-französischen Küchenvermählung werden.

Das 19. Jh. hatte aus Karlsruhe einen bedeutsamen Brauereistandort gemacht. Bis zu 25 Brauereien bedienten eine große Nachfrage, die sich 1888 auf 264 l pro Kopf und Jahr belief. Heute ist der Pro-Kopf-Verbrauch nicht einmal halb so groß. Dafür steht wieder etwas mehr Wein auf den Tischen, und der kommt in besonders guter Form als Weiß- oder Grauburgunder aus dem nahen Kraichgau, als Riesling aus der Pfalz und als Roter aus Frankreich. Bei den Brauereien ist einzig der Name ›Hoepfner‹ von diesen frühen Brauereien übrig geblieben. ›Moninger‹, wenn auch jünger, gehört ebenfalls zu den überregional bekannten und traditionsreichen Brauereien. Erst in jüngster Zeit lassen Hausbrauereien wie der ›Kühle Krug‹, das ›Badisch Brauhaus‹ oder ›Vogelbräu‹ diesen Teil der Kulturgeschichte zur Freude eines großen Publikums wieder sichtbar werden.

Manchmal fällt es schwer, streng in Biergärten, Garten und Terrassenlokalen zu kategorisieren. Gleichwie: Innerstädtische Terrassen sind unabhängig von Namen und Bezeichnung von morgens bis abends gut besucht, weil's was zu gucken gibt. Und große Biergärten wie ›Hoepfners Burghof‹, der ›Kaisergarten‹ oder ›Vogelbräu‹ locken die Scharen nicht nur mit Bier und deftigen Gerichten, sondern mit einer ureigenen Form der Geselligkeit.

Wie in anderen Großstädten haben sich auch in Karlsruhe die Essgewohnheiten und die entsprechenden gastronomischen Angebote mit der Zeit gewandelt. Es geht und gibt prinzipiell überall alles: Man kann ganztägig frühstücken, in vielen Lokalen brunchen, Sushi und badische Gerichte am gleichen Ort bestellen, in Cafés neben Kuchen auch Salate auf der Karte finden usw. Um diesbezüglich ein wenig zu ordnen, wurde bei der Sortierung der genannten Cafés und Restaurants darauf geachtet, was charakteristisch für sie ist.

Durch die große Anzahl an Studenten gibt es eine ganze Reihe günstiger Lokale, die mit ihren Preisen sogar der Mensa Konkurrenz machen. Allen voran ist dabei das oder die ›Kippe‹ zu nennen. Auch die Gastronomie im ›ZKM‹ oder das ›Cafè Bleu‹ lassen sich diesbezüglich empfehlen. Ausgesprochene Studentenlokale beziehungsweise solche, in denen man viele junge Leute trifft, finden sich in der Nähe der Universität und in der Oststadt.

Karlsruhe ist kein ›teueres Pflaster‹, und so gibt es auch für ältere Semester Restaurants, die ab acht Euro ein vernünftiges Essen in schönem Ambiente anbieten. Ein paar Namen dazu wären ›Badisch Brauhaus‹, der ›Kaisergarten‹, das ›Stövchen‹ oder auch der Grieche ›Bonifatius‹, der nicht nur nach Urlaub schmeckt, sondern auch über ein ungewöhnlich authentisches Ambiente verfügt.

LebensArt Karlsruhe

So nennt sich ein ambitioniertes Projekt zur Qualitätssicherung der Gastronomie in Karlsruhe und Umgebung. Mit Unterstützung von SlowFood Deutschland und gastronomischen Betrieben der Region empfiehlt die Vereinigung den Besuch von Gaststätten, die ihr Angebot nach folgenden Grundsätzen ausrichten:
– Verwendung frischer Ware
– bevorzugte Verarbeitung saisonaler regionaler Produkte
– schonende und schmackhafte Zubereitung
– kompetente Information und Beratung durch das Lokal
– angenehmes, gästefreundliches Ambiente
Mit regelmäßigen Veranstaltungen gewinnt diese Initiative zunehmend Freunde. Und die Mitgliederliste kommt fast schon einem Führer zu guten Restaurants in Karlsruhe und dem nahen Umland gleich. Unter anderen haben sich folgende Häuser dieser Initiative angeschlossen: Badisch Brauhaus (s. S. 33), Brauhaus Kühler Krug (s. S. 34), Buchmann'S Restaurant (s. S. 42), Hoepfner Burghof (s. S. 33f.), Speisehaus Weinbrenner (s. S. 42), Zum Ochsen (s. S. 43), Beim Schupi (s. S. 32), Vogelbräu (s. S. 35f.).
Mehr zu diesem Projekt unter www.karlsruhe.de/Projekte/Lebensart/

Wer Kontrastprogramme liebt, schaut in Karlsruhe auch schon mal bei ›Jacks‹ vorbei. Nahe am Schloss kann man hier in Routiers-Atmosphäre die besten Burger der Stadt probieren, und das bis lange nach Mitternacht.

Badisch

Alte Schmiede
(Durlach C 2)
Ochsentorstr. 4, Durlach
Tel. 07 21/49 32 51
Tgl. 11.30–14 und 18–1 Uhr
Tram 1, 2; Durlach Schlossplatz
Hauptgerichte ab 9 €
Baden pur und hoch gefeiert. Selbst die Speisekarte in diesem schönen Fachwerkhaus ist im heimischen Dialekt verfasst. Die acht verschiedenen ›Mauldasche‹ gehören nach Ansicht der Gäste zum Besten, was man an Maultaschen in der Region Karlsruhe serviert bekommt.

Beim Schupi
(außerhalb)
Durmersheimer Str. 6, Grünwinkel
Tel. 07 21/55 12 20
www.beim-schupi.de
Mo–Sa 17–24 Uhr
S 2, 5, Tram 2, 5; Entenfang
Hauptgerichte ab 7 €
Eine originelle und populäre Mischung aus Lokal und Mundart-Volkstheater. ›d' Badisch Bühn‹ ist ein Stück Karlsruher Heimatgeschichte (s. S. 67). Aus der Küche kommen badische Gerichte in den kitschig schön geschmückten Gastraum und den großen Biergarten. Es gibt sogar ein paar Hotelzimmer (DZ ab 80 €).

Hansjakob Stube (E 4)
Ständehausstr. 4, Innenstadt
Tel. 07 21/2 71 66
Do–Di 12–15 und 18–24 Uhr, Mi Ruhetag, So und Fei abends geschl.
S 1/11, 2, 5, Tram 1, 3, 4; Herrenstr.
Tellergericht ab 8 €
Von Insidern wird dieses Restaurant seit langem als Tipp gehandelt. Man findet hier ein anspruchsvolles Publikum, das die hohe Qualität bei fairen Preisen schätzt. Die Enten und Tauben werden frisch von Hand gerupft. Eine gelungene und konstante Mischung aus Baden und Frankreich. Der Name des Lokals erinnert an den populären badischen Volksschriftsteller, Pfarrer und Landesparlamentarier Heinrich Hansjakob, der

Der Biergarten im ›Hoepfner Burghof‹ ist lange schon ein populärer Treffpunkt.

im Ständehaus Ende des 19. Jh. einem der frühsten deutschen Regionalparlamente angehörte.

Kaiserhof (F 4)

Karl-Friedrich-Str. 12, Am Marktplatz, Innenstadt
Tel. 07 21/91 70 -0
Tgl. 11.30–23.30 Uhr
S 1/11, 2, 4/41, 5, Tram 1–5; Marktplatz
Hauptgerichte ab 12 €
Eine der Karlsruher Traditionsadressen, wenn es um gehobene badische Küche geht. Vor drei Jahren wurde das ehrwürdige Flaggschiff der Hotellerie und Gastronomie grundlegend modernisiert und erscheint seither hell, freundlich und einladend. Im ›Feinschmecker Restaurant‹ wird man von Küchenchef Marcel Kazda (ehemals Bühlerhöhe) mit badisch-französischen Delikatessen verwöhnt. Das ›Kaiserhof-Bräu‹ als gemütliche Restaurantstube steht bezüglich der Küchenqualität nicht nach.

Stövchen (D 4)

Waldstr. 54, Innenstadt
Tel. 07 21/2 92 41
So–Do 9–1, Fr und Sa 9–3 Uhr
S 1/11, 2, 5, Tram 1–4, 6; Europaplatz
Hauptgerichte ab 7 €
In der rustikalen badischen Kneipe mit großem Kachelofen gibt es eine große Auswahl an Flammkuchen, ofenfrischen Brezeln und sehr günstige Tagesgerichte.

Biergärten & Brauhäuser

Badisch Brauhaus (E 3)

Stephanienstr. 38–40, Innenstadt
Tel. 07 21/14 47 00
www.badisch-brauhaus.de
Tgl. 11–1 Uhr

S 1/11, 2, 5, Tram 1–4, 6; Europaplatz
Hauptgerichte ab 4 €
Seit der Eröffnung im Jahre 2001 ein Renner auf vier Ebenen: Gewölbekeller, Erdgeschoss mit Terrassen, Sudhaus und Café/Cocktailbar. Neben preisgünstigen Mittagstischen gibt es eine Reihe weiterer gastronomischer Sonderangebote wie beispielsweise werktags 15–18 Uhr halbierte Bierpreise.

Highlight

Hoepfner Burghof (J 3)

Haid-und-Neu-Str. 18, Oststadt
Tel. 07 21/6 18 34 00
www.hoepfner-burghof.com
Mo–Sa 10–24, So 18–24 Uhr
S 2, Tram 4, 5; Hauptfriedhof
Kleine Gerichte ab 6 €
Die ›Hoepfner Burg‹ gehört zu den Wahrzeichen Karlsruhes. Sie wurde zwischen 1896 und 1898 gebaut und beherbergt seither die bedeutendste Traditionsbrauerei der Stadt sowie Restauranträume, Hotel und einen Biergarten mit mehr als 1000 Plätzen. Allein die Anlage ist schon eine Besichtigung wert. Im Biergarten werden die verschiedenen Sorten frisch aus dem Tank gezapft. Das groß dimensionierte Restaurant mit gemütlich bis nostalgischer Holztäfelung, Wandmalereien, Säulen und Bögen wirkt einladend. Aus der Küche kommen beste badische Gerichte. Das ›Burgfest‹ von Pfingstfreitag bis Pfingstmontag lockt jährlich mehr als 30 000 Gäste.

Ein Service für die Leser von DuMont direkt Karlsruhe: Beim Besuch des Hoepfner Burghofes kann man an der Hotelrezeption nach dem Buch ›Hopfen & Malz – Die Geschichte des Brauereiwesens in Karlsruhe‹ fragen, um sich für eine gute Biergarten-

stunde einem besonderen Aspekt der Stadtgeschichte zuzuwenden. Zeigen Sie an der Rezeption Ihr DuMont direkt Karlsruhe und leihen Sie sich das Bierbuch zum Schmökern aus.

Kaisergarten (C 3)

Kaiserallee 23, Weststadt
Tel. 07 21/85 55 81
Mo–Sa 10–1, So und Fei 12–1 Uhr
S 1/11, 2, 5, Tram 1–3; Schillerstr.
Hauptgerichte ab 8 €
Einer der ältesten Biergärten der Stadt. 400 Plätze im Hof und 50 im Wintergarten. Gekocht wird vor allem badisch. An der großen Flammkuchenkarte merkt man das nahe Elsass.

Kühler Krug (A 5)

Wilhelm-Baur-Str. 3, Südweststadt
Tel. 07 21/8 31 64 16
www.brauhaus-kuehler-krug.com
Mo–Fr 10–1, Sa 10–2, So 9–1 Uhr
Tram 5, Bus 55; Kühler Krug
Hauptgerichte ab 5 €
Mehr als 1000 Personen fasst der Biergarten der größten Hausbrauerei Süddeutschlands. Die gut bürgerliche Küche ist für ihre Fischgerichte bekannt. Ab zwei Personen kann man hier auch verschiedene Fondues bestellen.

Litfass (F 4)

Kreuzstr. 10, Innenstadt
Tel. 07 21/69 34 87

Mitten in der Stadt und doch fern von hektischem Getriebe: der Biergarten vom ›Pfannestiel‹.

Hauptgerichte ab 7 €

Ein Panoptikum und Tausendsassa der Karlsruher Gastro-Szene. Hier gibt es so ziemlich alles: tagsüber Café und Kunstgalerie, abends internationale Vielfalt aus Baden, Italien und Thailand. Die Thai-Gerichte gelten als die besten ihrer Art in Karlsruhe. Nicht genug damit: In den Monaten September bis April gibt es an zwei Tagen im Monat begehrte Sushi-Abende. Auch die Jazz-Musik im Hintergrund passt gut zu diesem Lokal, das quer Beet allen Generationen gefällt. Ach so: Der Biergarten bietet übrigens ca. 100 Plätze, und trotz ›Bier‹garten werden hier auch gute Weine ausgeschenkt.

Pfannestiel (H 4)

Am Künstlerhaus 53, Oststadt
Tel. 07 21/37 73 01
www.pfannestiel.de
So–Do 17–1, Fr und Sa 17–2 Uhr
S 2, 4/41, 5, Tram 1, 2, 4, 5; Durl. Tor
Hauptgerichte ab 6 €

Vom gebackenen Camembert bis zur Großauswahl an Fleisch aus der Pfanne: In diesem Biergarten lässt sich unter alten Kastanien gut sein. Bei weniger gutem Wetter ist es auch im Innern des Lokals sehr gemütlich. Das Preisniveau orientiert sich am studentischen Publikum.

Der Vogelbräu (H 4)

Kapellenstraße 50, Oststadt
Tel. 07 21/37 75 71
www.vogelbraeu.de
Mo–So 10–1 Uhr
S 2, 4/41, 5, Tram 1, 2, 4, 5; Durl. Tor
Kleine Gerichte ab 4,10 €

Die 1985 eröffnete Brauereiwirtschaft am Durlacher Tor erfreut sich auch

Tgl. 11–1 Uhr
S 1/11, 2, 4/41, 5, Tram 1–5; Marktplatz
Hauptgerichte ab 6 €

Durch die Nutzung des idyllischen Platzes hinter der ›kleinen Kirche‹ ist hier nach Ansicht vieler Karlsruher der schönste Biergarten in der Innenstadt entstanden. Mittags gibt es abwechslungsreiche Tagesgerichte, abends empfehlenswerte Salate und typische Biergartengerichte.

Löwenbräukeller (C 4)

Sophienstr. 95, Weststadt
Tel. 07 21/84 33 15
Mo–Sa 17–1 Uhr
Tram 1; Sophienstr.

wegen des gemütlichen Biergartens großer Beliebtheit. Hier treffen sich alle Altersgruppen und Schichten, um das unfiltrierte frische Bier und die handfesten Speisen von der großen Karte zu genießen. Eine schöne Idee: Als Souvenir kann man urige Ein- bis Dreiliterflaschen erstehen.

Brunch & Frühstück

Café Dom (D 3)

Hirschhof 5, Weststadt
Reservierungen: Tel. 07 21/2 48 50
Restaurant/Kneipe: Mo–Sa 11–1,
So, Fei 10–1 Uhr. Brunch: So u. Fei
10–15 Uhr
S 1/11, 2, 5, Tram 1–4, 6; Europaplatz
Brunch: 12,50 €
Nomen est omen: Hier wird ein ehemaliger Kirchenraum als Gaststätte benutzt. Von der Kirche hat sich neben der

besonderen Raumhöhe auch die Kanzel erhalten, die jetzt als Bühne genutzt wird. Auf der Terrasse und im Wintergarten gibt es freitags und samstags ab 21 Uhr auch gute Cocktails. Das ›Dom‹ ist bei Tag und Nacht einer der studentischen Treffpunkte.

Café Gitanes (G 4)

Zähringer Str. 15, Oststadt
Tgl. 9–1 Uhr
Frühstück 9–15, Sa u. So bis 16 Uhr
S 2, 4/41, 5, Tram 1–5;
Kronenplatz/Universität
Das gerne von Studenten besuchte Café ist eine Institution, nicht nur bei Freunden eines ausführlichen Frühstücks. Idyllisch am kleinen Fasanenplatz gelegen, bietet das ›Gitanes‹ zwölf Frühstücksvarianten. Nach dem späten Frühstück geht die Atmosphäre bruchlos in Richtung ›nette Frühabend-Kneipe‹ über.

Ein wichtiges Seminar hat gerade begonnen, sonst wäre vorm ›Gitanes‹ am Fasanenplatz viel mehr los.

Café Palaver (G 4)

Steinstr. 23, Oststadt
Di–So 9–19 Uhr
S 2, 4/41, 5, Tram –5;
Kronenplatz/Universität

Urbanes Flair in einer etwas versteckten Ecke des innerstädtischen Gewerbehofes. Vorbei an Druckereien, Fahrradladen und Kindergarten findet man den schönen Wintergarten, der an einem alten Industriegebäude klebt. Hier und auf dem mit viel Grün gestalteten Freisitz kann man dann die große Frühstückskarte studieren und das Ausgewählte genießen.

Café Rih (E 3)

Waldstr. 3, Innenstadt
Tgl. 10–1 Uhr
ganztägig Frühstück
S1/11, 2, 5 Tram 1, 3, 4; Herrenstr.

Im Erdgeschoss des neobarock gebauten und ehrwürdig wirkenden Badischen Kunstvereins döst am Morgen das Café Rih so vor sich hin. Da gibt es nichts Spektakuläres und nichts, was Aufmerksamkeit erheischen will. Und das ist manchmal gut so. Die richtige Atmosphäre für ruhige Frühstücke. Auch beim Schlummertrunk ist das Publikum unaufgeregt und angenehm. Ein bisschen Boheme eben.

Cantina Majolika (F 2)

Ahaweg 6–8, Innenstadt
Tel. 07 21/9 20 36 03
Mo–Sa 10–1, So u. Fei 10–24 Uhr
S 1/11, 2, 4/41, 5, Tram 1–5; Marktplatz
Hauptgerichte 12–15 €, Brunch 13,50 €

Schon der Hinweg ist ein Genuss. Man läuft auf einem mit blauen Keramikfliesen markierten Weg durch den Schlosspark vom Schloss in den nahen Wald, um dort im Innenhof der Majolika-Manufaktur die gelungene Mischung aus Kunst, Café, Bistro und Restaurant zu

Café Wien (G 4)

Seit mehr als einem Jahrzehnt ist das Café Wien eine Institution in der Jugendszene Karlsruhes. Beim Sonntags-Brunch fehlt es an nichts: Saures, Süßes, Deftiges, Feines, die Bäckertheke rauf und runter, Warmes und Kaltes in Hülle und Fülle. Und wer sich den Bauch am frühen Mittag voll schlägt, kann die Kalorien abends bei Diskosound wieder reduzieren.
Fasanenstr. 6, Oststadt
Reservierung empfohlen:
Tel. 07 21/37 44 52
www.cafewien-ka.de
Mo–Do 19–1, Fr, Sa und vor Fei bis 3 Uhr, Brunch: So ab 10 Uhr
S 2, 4/41, 5, Tram 1–5;
Kronenplatz/Universität
Brunch: 12,50 €

genießen. Bei schönem Wetter erhöht eine große Innenhofterrasse diesen Genuss. Jeden zweiten Sonntag gibt es zum Brunch Jazz-Musik. Mittwochs finden hier in den Sommermonaten ab 18 Uhr die Feierabend-Partys großen Anklang. Auch wenn dieser lauschige Ort als Brunch-Tipp empfohlen wird, ist ein Besuch zu anderen Tages- und Abendzeiten nicht minder schön.

Krokodil (E 4)

Waldstr. 63, Innenstadt
So–Do 8–1, Fr u. Sa bis 3 Uhr
Frühstück bis nachmittags,
So 10–14 Uhr Brunch
S 1/11, 2, 5, Tram 1–4, 6; Europaplatz

Aus der traditionellen Gastwirtschaft ist ein Ganztagestreffpunkt für Jung und Alt geworden. Auf der großen Terrasse des Ludwigsplatzes kann man auch recht gut frühstücken und tagsüber eine Kaffeepause machen.

Cafés

In Karlsruhe finden sich sowohl einige traditionelle Konditorei-Cafés, als auch jüngere Tag-und-Nacht-Cafés ohne große Kuchentheke, dafür aber mit angenehmem Ambiente. Der Schwerpunkt der folgenden Auswahl liegt auf den Traditionscafés.

Café Böckeler (F 4)

Kaiserstr. 141, Innenstadt
Tel. 07 21/86 48 90
Mo–Sa 8–22, So u. Fei 9.30–20 Uhr
S 1/11, 2, 4/41, 5, Tram 1–5; Marktplatz
Auf zwei Etagen und der großen Marktplatzterrasse neben der berühmten Pyramide werden in der Manier klassischer Konditorei-Cafés unzählige Kuchensorten und Kaffeevariationen serviert.

Café Brenner (E 5)

Karlstr. 61a, Südstadt
Mo–Sa 8.30–18, So u. Fei 10–18 Uhr, Di geschl.
Tram 2, 4, 5, 6; Mathystr.
Für einen Besuch in diesem Café machen sich viele Karlsruher Damen nicht nur sonntags schon seit den Nachkriegsjahren fein. Bei typischer Rundverglasung und Gardinen schmeckt hier ausnahmslos alles, was aus der meterlangen Vitrine kommt. Die ›Schokoladen-Pyramide‹ und Brenner-Pralinen gehören in Karlsruhe zu den begehrten Mitbringseln, wenn man sich gegenseitig besucht. Das Café ist auch als ›Ring-

Klare Linien, schönes Ambiente, idyllischer Garten: Die Café-Bar ›Max‹ im Prinz-Max-Palais ist ein guter Pausenplatz.

Café‹ bekannt. Ein entsprechender Schriftzug an der Fassade verweist noch auf den Vorgängerbetrieb, der hier bis 1987 zuhause war.

Café Endle (D 4)

Kaiserstr. 241 a, Innenstadt
Mo–Fr 7.30–18.30, Sa bis 18,
So 10–18 Uhr
S 1/11, 2, 5, Tram 1–4, 6; Europaplatz
Die Neumöblierung des alten Cafés ist fast ein wenig zu stark aus der Linie von klassischen Café-Einrichtungen ausgebrochen. Aber die Angebote sind nach wie vor hervorragend, was sich auf die Confiserie ebenso bezieht wie auf die Frühstückskarte.

Großmudders (B 4)

Nelkenstraße 21, Weststadt
Tel. 07 21/85 84 86
Mo–Fr 6–18.30, Sa 6–13.30,
So u. Feiertag 8–18 Uhr
S 1/11, 2, 5, Tram 2, 3; Yorckstr.
Nomen est omen. In der gemütlichen Stube mit angeschlossener Bäckerei sitzt man wie in Omas Wohnzimmer auf alten Sofas und Sesseln. Besonders an Markttagen auf dem Gutenbergplatz, dem schönsten Markt der Stadt, ist diese nostalgische Mischung aus Café und Kneipe ein beliebter Treffpunkt. Auf der Karte finden sich zehn Frühstücksvarianten.

Mary Poppins (B 3)

Kaiserallee 51a, Weststadt
Tgl. 8–19 Uhr
S1/11, 2, 5, Tram 1, 2, 3; Schillerstr.
›Beste Kuchenadresse der Innenstadt‹ meinen all diejenigen, die hier sonntags Schlange stehen, um das einzukaufen, was ihre Mütter noch selbst backen konnten. Wer sich setzen will, um Kuchen oder kleine Snacks zu genießen, findet hierzu im Café ein paar kleine Ti-

Badische Weinstuben (F 3)

Die Terrasse zum Botanischen Garten gehört zu den Schönsten, was Karlsruhe an bewirteten Terrassen zu bieten hat. Man sitzt im Botanischen Garten unter dem spektakulären Eisengewölbe eines ehemaligen Gewächshauses.
Die marktfrische Küche setzt saisonale Schwerpunkte. Badische Spezialitäten stehen dabei im Mittelpunkt. Außerhalb der Essenzeiten kann man hier beste Kuchen genießen. Das Haus wird schon lange als Familienbetrieb geführt und ist ganzjährig etwas Besonderes.
Schlossbezirk Nr. 6, im Botanischen Garten, Innenstadt
Tel. 07 21/60 78 79
Di–So 10–23 Uhr, warme Küche 11.30–14 und 18–21.30 Uhr
S 1/11, 2, 5, Tram 1 3, 4; Herrenstr.
Hauptgerichte ab 13 €

sche, im Freien aber immerhin 60 Plätze.

Max Café-Bar (E 3)

Akademiestr. 38a, Innenstadt
www.max-cafe-bar.com
Mo–Do 10–24, Fr 10–2, Sa 9–2,
So 9–24 Uhr
S1/11, 2, 5, Tram 1–4, 6; Europaplatz
Ein modern, angenehm sachlich eingerichtetes Café im Prinz-Max-Palais. Wunderschöne Gartenterrasse. Nach dem Besuch des Stadtmuseums im Palais oder auch einfach zum kurzen Stopp bei einem Stadtbummel zu empfehlen. Ob zum Frühstück, zum kleinen Mittagessen, dem Nachmittagscafé oder dem Cocktail am Abend – ein Tipp

für alle Tageszeiten. Schon der Blick auf die Internetseite lohnt.

Draußen sitzen

Koffler's Heuriger (außerhalb)
Lange Str. 1, Rüppurr
Tel. 07 21/89 02 02
www.kofflersheuriger.de
Tgl. 7–1 Uhr,
Heurigenbuffet tgl. 16–23.30 Uhr
S 1/11; Tulpenstr./Diakonissenstr.
Hauptgerichte ab 7 €
In dem großen Winzergarten mit 200 Plätzen im Stadtteil Rüppurr gibt es österreichische Spezialitäten. Die eigene Metzgerei sorgt für schlachtfrisches Fleisch. Ab und an gibt's in diesem Garten auch Livemusik.

Café Ludwig's (E 4)
Waldstr. 61, Innenstadt
Tel. 07 21/2 33 49
So–Do 9–1, Fr und Sa 9–3 Uhr
S 1/11, 2, 5, Tram 1–4, 6; Europaplatz
Hauptgerichte ab 8 €
Die Mischung aus Café, Bistro und Bar funktioniert nicht deshalb so gut, weil ihr gastronomisches Konzept stimmt. Es ist vor allem die Lage, die nicht besser sein könnte. Mit 150 Terrassenplätzen direkt am Ludwigsplatz gelegen, ist das ›Ludwig's‹ ein Teil des gastronomischen Gesamtangebotes an diesem belebten und beliebten Stadtplatz.

Obermühle (Durlach C 1)
Alte Weingartener Str. 37, Durlach
Tel. 07 21/49 35 90
Di–So 12–14 und 18–22 Uhr,
Mo im Winter geschl., im Sommer 17–22 Uhr
Tram 1, 2; Durlach Turmberg
Hauptgerichte ab 6 €
Die historische Mühle wurde liebevoll restauriert und wird jetzt als Naturfreundehaus und Lokal genutzt. Im Gemäuer stecken noch die Kugeln des Freiheitskampfes 1848/49. Aus der saisonal ausgerichteten Küche kommen frische Wild- und Fischgerichte auf die Tische des schönen Biergartens. Vor allem Kinder haben ihren Spaß an dem intakten Mühlrad und den Spielmöglichkeiten im Garten.

Viktoriagarten (D 4)
Viktoriastr. 7, Weststadt
Tel. 07 21/2 11 10
Mo–Fr 18–24, Sa und So bis 23 Uhr (Küche bis 22.30 Uhr)
S 1/11, 2, 5, Tram 1, 2, 3; Mühlburger Tor
Tellergericht ab 5 €
An der Kreuzung der Verkehrsachsen Kriegsstraße und Reinhold Frank Straße liegt diese schöne Weinlaube, die kürzlich eine Neugestaltung erlebt hat. Im ruhigen Hof, der einem Freiluftwohnzimmer gleicht, rankt sich wilder Wein am Fachwerk hoch. Zu gutem Wein isst man hier Kleingerichte wie Flammkuchen, Schnitzel oder saure Nieren. Wer es versteht, in diese Atmosphäre einzutauchen, für den ist die Welt zumindest für ein paar Stunden in Ordnung.

Siehe auch Biergärten, Brauhäuser, Brunch, Cafés, Gehoben

Gehoben

Cinquanta (D 4)
Waldstr. 50, Innenstadt
Tel. 07 21/2 45 94
www.cinquanta.de
Mo–Sa 11–1 Uhr. So u. Fei. geschl.
S 1/11, 2, 5 Tram 1–4, 6; Europaplatz
Hauptgerichte ab 13 €

Der Blick vom ›Klenerts‹ ins Tal begeistert ebenso wie der Blick auf die Teller

Restaurant, Bar, Garten… es fällt schwer zu entscheiden, wo man Platz nimmt, denn in diesem von Thomas Diepold geführten Restaurant wirken alle Räume und Plätze großzügig einladend. Der Garten zählt zu den schönsten seiner Art in Karlsruhe. Die Küche ist bekannt für Marktfrische und für einen meisterhaften Umgang mit italienischen sowie französischen Rezepten. Eine wunderschöne Mischung aus zeitgemäß definierter Noblesse und Lässigkeit.

Highlight

Klenerts Turmbergrestaurant (Durlach D 3)

Reichardtstr. 22, Durlach
Tel. 07 21/4 14 59
www.klenerts.de
Tgl. 11.30–24 Uhr
Tram 1, 2; Durlach Turmberg
Hauptgerichte ab 12 €

Eines der beliebtesten Restaurants in Karlsruhe. Das jüngst modernisierte und unaufdringlich schick eingerichtete Restaurant verfügt über eine große Aussichtsterrasse mit 110 Plätzen. Von hier aus hat man die ganze Rheinebene und die Stadt Karlsruhe zu Füßen. Mit Fisch weiß man in der mediterran geprägten Küche besonders gut umzugehen. Aber auch regionale Themen kommen nicht zu kurz. Große Auswahl an Vorspeisen. Das Preisniveau entspricht der gehobenen und anspruchsvollen Qualität. ›Teuer‹ wäre der falsche Begriff. Ein Blick auf die Internetseite des Restaurants lohnt.

Seilerei (G 4)

Kaiserstraße 47, Innenstadt
Tel. 07 21/38 41 954
www.seilerei-karlsruhe.de
Mo–Fr 12–15 u. 18–1, Sa und Fei. 18–1 Uhr, So geschl.
S 2, 4/41, 5, Tram 1–5; Kronenplatz/Universität

Weinstube, Osteria, Café des Arts: Aus dem Seilerhäuschen, dem ältesten Haus der Stadt (1723), ist 2002 die ›Seilerei‹ geworden. Mit viel Engagement wurde hier renoviert, verschönt und auf vielfältige Art und Weise guter Geschmack eingebracht. Man sitzt sehr gemütlich und stilvoll in der Weinstube mit badischem Weißburgunder, in der italienischen Gaststube bei Pennette mit Gambas, Schwert- und Thunfisch.

Speisehaus Weinbrenner (F 4)

Am Marktplatz, Innenstadt
Tel. 07 21/3 54 06 66
www.weinbrenner-karlsruhe.de
So–Do 11–24, Fr, Sa 11–1 Uhr,
Juni, Juli, Aug. So geschl.
S 1/11, 2, 4/41, 5, Tram 1–5; Marktplatz
Hauptgerichte ab 13 €
Stilvoll gestaltete Räume und eine Oase der Ruhe im Herzen der Stadt. Seite an Seite mit Weinbrenners Stadtkirche gibt es Klaviermusik zu Kaffee und Cocktails. Wenn nicht die Kaffeemaschine und nicht der Pianist, sondern die Küche gefragt ist, werden besondere Wünsche auch diesbezüglich wahr. Als Mitglied von ›LebensArt Karlsruhe‹ (s. S. 31) überzeugt das junge Restaurant durch leichte und saisonale Delikatessen. Auch Kinder können unter mehreren Gerichten auswählen, die eigens für ihren Hunger und ihre Vorlieben gemacht werden.

Siehe auch ›Badische Weinstuben‹ S. 39.

Gourmet

Buchmann'S (E 5)

Mathystr. 22–24, Südweststadt
Tel. 07 21/820 37 30
www.buchmanns.com
Mo–Fr 12–14 u. 18–22, Sa 18–22 Uhr, So geschl.
Tram 2, 4, 5, 6; Mathystr.
Hauptgerichte ab 18 €, Menü ab 46 €

Das Credo von Küchenchef Günter Buchmann lautet: »Frische saisonale Produkte können und sollen für sich stehen«. Hier genießt man leichte Gerichte, die mit viel Pfiff und wenig Schnick-Schnack auf den Tisch kommen. Ob Dorade mit Orangencaramel oder Wachtelkotelette mit Pfifferlingen, der erfahrene Küchenkünstler aus der Steiermark überzeugt die Speisekarte rauf und runter. Nach neun Jahren in der Oberländer Weinstube (s. unten) eröffnete er im Jahr 2000 zusammen mit seiner Frau Elke sein eigenes Restaurant, das genauso eingerichtet ist, wie er die gute Küche beschreibt: geradlinig, pur und edel. Dabei herrscht keinerlei Zwang zu Jackett oder Krawatte. Die hier verwirklichte badisch-steirische Küchenliaison ist ohne Einschränkung zu empfehlen.

Dudelsack – Hügels Restaurant (E 4)

Waldstraße 79, Innenstadt
Tel. 07 21/20 50 00
Tgl. 18–1 Uhr
S 1/11, 2, 5, Tram 1–4, 6; Europaplatz
Hauptgerichte ab 13 €, Menü ab 30 €
Die recht kleine und im Stile eines Wohnzimmers eingerichtete Gaststube könnte man auch im Elsass betreten. So verhält es sich auch mit der Küche: Heinz Hügel versteht sich seit langem bestens darauf, die feine badische Küche mit der französischen zu verbinden. Zu den Spezialitäten gehören die provenzalische Fischsuppe ebenso wie Lamm-Maultaschen in Morchelrahmsauce.

Oberländer Weinstube (E 3)

Akademiestr. 7, Innenstadt
Tel. 07 21/2 50 66
www.oberlaender-weinstube.de
Di–Sa und Fei 12–15 u. 18–24 Uhr,

Stilvoll plaudern und ein bisschen extravagant essen. Im ›Speisehaus Weinbrenner‹ macht beides Spaß

So geschl.
S 1/11, 2, 5, Tram 1–4, 6; Europaplatz
Hauptgerichte ab 20 €
Das Restaurant der Spitzenkategorie steht in langer familiärer Tradition. Schon der Großvater des jetzigen Patrons Peter Rinderspacher hatte das Haus 1918 erworben und als ›Oberländer Weinstube‹ eröffnet. Die Küche wird derzeit von dem Elsässer Michael Heid gemeistert. ›Leichte französische Leckereien‹ ist wohl die knappste Bezeichnung für das Großangebot an edlen Gerichten.

Zum Ochsen (Durlach B 2)

Pfinzstr. 64, Durlach
Tel. 07 21/9 43 86-0
www.ochsen-durlach.de
Mi–So 11–23, Di 11–14 Uhr,
Mo geschl.
Tram 1, 2; Durlach Schlosspark
Hauptgerichte ab 23 €
›Ein Stück Frankreich für Genießer‹ – So wirbt das Restaurant, in dem die Autodidaktin Anita Jollit am Herd steht,

ganz zu Recht. Von einem mehrjährigen Aufenthalt in Paris hat sie ihre Kochkünste und ihren Mann Gérard in das 300 Jahre alte Gasthaus in Durlach mitgebracht. Fragt man in Karlsruhe, wo es denn am besten schmeckt, heißt neun von zehn Mal die Antwort: »im Ochsen in Durlach«. Ob im noblen Restaurant oder auf der Gartenterrasse – Kreationen wie warme Gänseleber mit karamellisierten Birnen-Spalten verleiten überall zum Schwelgen.

Junge Szene

Café Bleu (C 4)

Kaiserallee 11, Weststadt
Tel. 07 21/85 63 92
So–Do 8–1, Fr und Sa 8–3 Uhr
S 1/11, 2, 5, Tram 1–3; Mühlburger Tor
Tagesessen ab 3 €
Was auf großen Stadtstraßen die Nerven strapaziert, ist hier angenehme Dekoration: Die Wände gleichen einem Schilderwald. Im Wintergarten oder

43

auch im großen Biergarten mit 300 Plätzen gibt es eine Großauswahl an Salaten, badischen Gerichten und Vollwertkost. Beim täglich wechselnden Mittagstisch stehen mehrere preiswerte Alternativen zur Auswahl. Der Wintergarten ist auch ein angenehmer Frühstücksplatz.

Jacks (E 2)

Willy-Brandt-Allee 3, nördl. Innenstadt
kein Telefon
So–Do 12–1, Fr und Sa 12–3 Uhr
Bus 73; Linkenheimer Tor
Burger ab 2 €
Kontrastprogramm neben der Aral-Tankstelle ein paar Fußminuten nördlich vom Schloss. Hier trifft man sich auch nach Mitternacht noch, um alle möglichen Burger und Salate zu vertilgen. Atmosphäre wie in den französischen Lokalen für LKW-Fahrer.

Kippe (H 4)

Gottesauer Str. 23, Oststadt
Tel. 07 21/69 78 29
www.die-kippe.de
Tgl. 9–3 Uhr, Biergarten tgl. 9–23, Fr, Sa und vor Feiertagen bis 24 Uhr
S 2, 4/41, 5, Tram 1, 2, 4, 5; Durl. Tor
›Studiessen‹ ab 3,50 €
Dieses Studentenrestaurant ist ein Unikum. Tageskarte mit wirklichen Sensationspreisen und nicht mal schlechter Qualität. Zum Beispiel: Scholle mit Kartoffelsalat und Remoulade, Penne mit Gorgonzolasauce und Salat etc. Wer dazu etwas trinkt, bekommt es noch günstiger. Bis nachts um 2.30 Uhr hat die Küche offen. Die Kippe ist das einzige Lokal in Karlsruhe mit einer eigenen Kneipenzeitung. Man kann sie auch online lesen.

Multikulti (F 3)

Schlossplatz 19, Innenstadt
Tel. 07 21/9 20 97 97
Tgl. 10–1 Uhr
S 1/11, 2, 4/41, 5, Tram 1–5; Marktplatz
Hauptgerichte ab 5 €
Ein ›In‹ für jüngeres Publikum. Die kubanisch angehauchte Mischung aus Café, Kneipe und Restaurant hat eine schöne Terrasse auf dem Schlossplatz sowie eine beheizbare und überdachte Innenhofterrasse. Die große abendliche Grill- und Salatplatte ist seit langem ein Renner.

Rote Taube (B 4)

Kriegsstr. 276, Weststadt
Tel. 07 21/85 51 17
Tgl. 19–1 Uhr
S 5, Bus 55; Hübschstr.
Hauptgerichte ab 7 €
Hier treffen sich die Weststädter gerne. Das schöne Haus aus der Gründerzeit wurde für seine besondere Architektur schon mehrfach ausgezeichnet. Im Lokal gibt es bis halb zwölf deftige Mahlzeiten aus der badisch geprägten Küche. Ab und an auch Livemusik. Bei Sonnenschein lässt man sich's im Biergarten gut gehen.

Vegetarisch

Tanburi (Durlach B 2)

Pfinztalstr. 45, Durlach
Tel. 07 21/400 98 14
Tgl. 9–1 Uhr
Tram 1, 2; Durl. Friedrichschule
Hauptgerichte ab 7 €.
In dem orientalischen Restaurant in Durlach gibt es eine Reihe guter vegetarischer Gerichte.

Viva (F 4)

Lammstr. 7a, Innenstadt
Tel. 07 21/2 32 93
Mo–Fr 11–20.30, Sa 9–16.30 Uhr,

So geschl.
S 1/11, 2, 4/41, 5, Tram 1–5; Marktplatz
Hauptgerichte ab 6 €
In dem hell und freundlich eingerichteten Restaurant in der Rathauspassage holt man sich seine Salate von der großen Bar selbst. Wohl das beste, was Karlsruhe für Vegetarier zu bieten hat.

Weltweit

First Sushi Lounge (F 4)

Erbprinzenstr. 4–12, Innenstadt
Tel. 07 21/1 30 57 10
Mo–Sa 11–14.30 u. 18–24,
So u. Fei 18–24 Uhr
S 1/11, 2, 4/41, 5, Tram 1–5; Marktplatz
Sushi ab 7 €
Die Sushis kommen auf kleinen Schiffchen angeschwommen, um dann entladen zu werden. Stilvoll, absolute Produktfrische, günstiger Mittagstisch.

Bonifatius (C 4)

Sophienstr. 112, Weststadt
Tel. 07 21/84 36 10
So–Fr 11.30–14 und 17.30–24 Uhr,
Sa 17.30–24 Uhr
Tram 1; Sophienstr.

Hauptgerichte ab 8 €
Urgriechisch, stilecht, ein Stück Urlaub. Das kleine Restaurant wird wegen seiner Qualität und Atmosphäre als Geheimtipp gehandelt.

Pomodoro (D 4)

Waldstr. 87, Innenstadt
Tel. 07 21/2 02 72
Mo–Sa 12–15 u. 18–24 Uhr
S 1/11, 2, 5, Tram 1–4, 6; Europaplatz
Hauptgerichte ab 11 €
Wird unter den italienischen Lokalen in der Stadt sehr hoch gehandelt. Wenn Markus Lüpertz, bedeutender Gegenwartskünstler und Wahl-Karlsruher, hier Kanzler Schröder zum Essen einlädt, übersehen sie bestimmt, dass auch Pizza auf der Karte steht.

Sale e Pepe (A 3)

Kaiserallee 149, Weststadt
Tel. 07 21/9 52 97 62
Mo–Fr 11.30–14 u. 18–23,
Sa ab 18 Uhr, So geschl.
S 2, 5, Tram 2; Philippstr.
Hauptgerichte ab 10 €
In gepflegtem und trotzdem lässigem Ambiente gibt es toskanische Spezialitäten. Günstige Mittagskarte.

Kultur macht hungrig und durstig: hier auf dem ›Zeltival‹ 2003

Einkaufen

In vielen Karlsruher Geschäften kann man noch wahre Funde machen

Manche Regionen und Städte können mit käuflichen Identitätszeichen werben: Bordeaux mit dem Wein, Mailand mit Mode, Salzburg mit Mozartkugeln. Solche Produkte hat Karlsruhe nicht zu bieten. Es gibt aber eine Reihe netter Mitbringsel (s. S. 54), wozu die Pyramide aus Schokolade ebenso zählen kann wie ein Geschenk, das die ›Durlacher Kreativen‹ (s. S. 48) gefertigt haben.

Geht es um Mode und Sortimente, die man nur via Rolltreppe vollends überblickt, dann ist die Kaiserstraße fraglos die richtige Meile. Als diese Straße noch Lange Straße hieß und die Hauptverkehrsachse von Durlach über Karlsruhe nach Mühlburg war, nutzten Einzel- und Kolonialwarenhändler die Publikumsfrequenz. Ihren Erben heißen ›Karstadt‹, ›Breuningers‹, ›C&A‹, ›Peek & Cloppenburg‹ oder ›H&M‹. Dazwischen gibt es noch ein paar Traditionsgeschäfte wie das große ›Modehaus Schöpf‹ oder den kleinen ›Hut-Nagel‹, aber man kann sie an einer Hand abzählen, und das Inventar wirklicher Traditionsgeschäfte wie der alten ›Stadtapotheke‹ ist inzwischen im Stadtmuseum zu besichtigen.

Einkaufsspaß bringen auch die Geschäfte in Wald-, Herren- und Ritterstraße im westlichen Teil des Fächers, sowie in der quer dazu liegenden Erbprinzenstraße.

Bezüglich der Öffnungszeiten bleibt abzuwarten, wie die Mehrheit der Geschäfte auf die Liberalisierung reagiert. In der Innenstadt gilt bisher folgende Regelung: Mo–Fr 10–20, Sa 10–18 Uhr, im November und Dezember Sa bis 20 Uhr. Kleinere Geschäfte in den Fächerstraßen und außerhalb des Zentrums haben in den Mittagsstunden bisweilen geschlossen. Sie machen oft auch abends um 18 Uhr zu.

Antiquitäten & Kunst

Antiquariat Horst Schach (E 4)
Herrenstr. 50a, Innenstadt
Mo–Fr 10–13 u. 15–18.30,
Sa 10–13 Uhr
Tram 2, 4, 6; Karlstor
Hochwertige Antiquitäten mit Schwerpunkt 19. und 20. Jh.

Galerie Karlheinz Meyer (H 4)
Lachnerstr. 7, Oststadt
Mi–Fr 15–18, Sa 11–14 Uhr
S 5, Tram 1, 2; Gottesauer Platz
Eine der wenigen Galerien in Karlsruhe, die bei der Dokumentation und Förderung zeitgenössischer Kunst eine ernsthafte und konsequente Linie verfolgen.

Karl Leis Antiquitäten (E 4)
Herrenstr. 52, Innenstadt

Tel. 07 21/2 67 16
Mo–Fr 10–13 u. 15–18.30,
Sa 10–13 Uhr
Tram 2, 4, 6; Karlstor
Durch seine Gemälde, Grafik, antikes Porzellan und antiken Schmuck lebt Karl Leis mit der Geschichte der Stadt. Er weiß viel zu den Dingen, die ihn umgeben, und wird oft dazu befragt. Hier zu stöbern und zuzuhören, macht viel Spaß.

Künstlerhaus-Galerie (G 4)

Am Künstlerhaus 47, Oststadt
Di–Fr 16–18.30, Sa u. So 11–14 Uhr
S 2, 4/41, 5, Tram 1, 2, 4, 5;
Durlacher Tor
Galerie des Bezirksverbands Bildender Künstler Karlsruhe.

Kunsthandlung Armin Gräff (F 3)

Waldstr. 20, Innenstadt
Mo–Fr 10–19, Sa 10–14 Uhr
S 1/11, 2, 5, Tram 1, 3, 4; Herrenstr.
Ein Traditionshaus in der Innenstadt, das auf mehr als 200 Jahre Existenz zurückblicken kann. Neben Gemälden und Aquarellen vor allem ein großes Angebot an moderner und alter Grafik sowie an Kunstdrucken aller Stilrichtungen. Eines der größten Kunstpostkartenangebote im süddeutschen Raum.

Meyer Riegger Galerie (D 5)

Klauprechtstr. 22, Südweststadt
www.meyer-riegger.de
Di–Fr 12–18, Sa 12–14 Uhr
Tram 2, 4, 5, 6; Mathystr.
Jochen Meyer und Thomas Riegger führen die einzige Karlsruher Galerie mit Präsenz auf bedeutsamen Kunstmessen. Unter den ganz jungen Künstlern befinden sich auch Abgänger der benachbarten Hochschule für Gestaltung.

Bücher

Braunsche Universitätsbuchhandlung (E 4)

Kaiserstraße 120, Innenstadt
Mo–Fr 10–20, Sa 10–18 Uhr
S 1/11, 2, 5, Tram 1, 3, 4; Herrenstr.
Die älteste Buchhandlung Karlsruhes und Hauptgeschäft. Das ursprünglich mit dem regionalen Traditionsverlag G. Braun verbundene Haus verfügt über einige Filialgeschäfte in Stadt und Umland. Großes und dem Namen entsprechendes Sortiment. Zahlreiche Lesungen und andere Publikumsveranstaltungen.

Buchantiquariat Braun (E 4)

Waldstr. 17, Innenstadt
Mo–Fr 9.30–19, Sa 9.30–16 Uhr
S 1/11, 2, 5, Tram 1, 3, 4; Herrenstr.
In einem der ältesten Karlsruher Stadthäuser herrscht eine zauberhafte Stimmung. In dieser engen alten Lesestube bleibt man gerne zum Stöbern. Wer etwas zu Karlsruhe sucht, geht über die schmale Holztreppe nach oben in den 2. Stock.

Buch Kaiser (E 4)

Kaiserstr. 199, Innenstadt
Mo–Fr 9.30–20, Sa 10–18 Uhr
S 1/11, 2, 5, Tram 1, 3, 4; Herrenstr.
Alt eingesessenes Buchgeschäft in der City mit sehr großem Sortiment und vielen Veranstaltungen im ganzen Stadtgebiet.

Der Rabe (Durlach B 2)

Pfinztalstr. 60, Durlach
Mo–Fr 9–18.30, Sa 9–14 Uhr
Tram 1, 2; Durlach Friedrichschule
Ein liebevoll geführtes Buchgeschäft mit Kartenvorverkauf.

Einkaufen

Stephanus Buchhandlung (E 4)
Herrenstraße 34, Innenstadt
Mo–Fr 10–18.30, Sa 10–14 Uhr
S 1/11, 2, 5, Tram 1, 3, 4; Herrenstr.
Freundliche und kompetente Beratung,
interessantes Programmprofil.

Design, Wohnen & Kunsthandwerk

Art und Form (E 3)
Waldstr. 15, Innenstadt
Tel. 07 21/2 98 47
Mo–Fr 10–19, Sa 10–18 Uhr
S 1/11, 2, 5, Tram 1, 3, 4; Herrenstr.
Was Gabriele Peter hier auf kleinem
Raum geschmackvollem Angebot zu-
sammenbringt, ist ein Ausrufezeichen
wert! Wohnaccessoires, Stoffe, Tischde-
korationen, Geschenke etc.

Durlacher Kreative

Ein Zusammenschluss von
Kunsthandwerkerinnen und
Kunsthandwerkern, die in Durlach leben und arbeiten. Bei
gemeinsamen Veranstaltungen
(u. a. ›kreative Rundgänge durch
Durlach‹ mit Blicken hinter die
Kulissen von Ateliers) zeigen
sie all die schönen Dinge, die
sie herstellen.
Tel. 07 21 / 49 86 36
www.durlacherkreative.de

Zu den ›Kreativen‹ gehören u. a.
Eva Nirk Lederarbeiten
Florale Werkstatt Blumen Mosch
Holz-ARTelier
Hutdesign Regine Kögler
MachArt
Raumausstattung Rosi Gillen
Schmuckgalerie Artifex

Burger (D 4)
Waldstr. 89–91, Innenstadt
Mo–Mi 10–19, Do, Fr 10–19.30,
Sa 10–18
S 1/11, 2, 5, Tram 1–4, 6; Europaplatz
Wer im Internet unter www.burger.de
nachsieht, erfährt nichts Neues zu Fast
Food, wohl aber zum Angebot eines
großen und sehr beliebten Karlsruher
Möbel und Designhauses. Einrich-
tungsgegenstände vom Großformat bis
zur Aktentaschengröße werden hier
gleich in mehreren nebeneinander liegenden Häusern und Etagen präsentiert.

Cri-Cri (E 4)
Herrenstr. 23, Innenstadt
S 1/11, 2, 5, Tram 1, 3, 4; Herrenstr.
Mo–Fr 10–19, Sa 10–18 Uhr
Neben anderen schönen Geschäften in
der Einkaufsgalerie ›Gothaer-Haus‹ fin-
det sich hier ein großes Sortiment an
Einrichtungs- und Gebrauchsgegen-
ständen.

Eva Nirk Lederarbeiten (Durlach B 2)
Amthausstr. 2, Durlach
Mo, Do, Fr 15–18.30, Sa 10–13 Uhr
Tram 1, 2; Durlach Schlossplatz
Die Sattlermeisterin macht schöne Pro-
dukte aus Leder: Gürtel, Taschen,
Schreibunterlagen etc.

Florale Werkstatt Blumen Mosch (Durlach D 2)
Grötzinger Str. 65, Durlach
Mo, Di, Do, Fr 8.30–18.30, Mi
8.30–13 Uhr, Sa 9–13, So 10–12 Uhr
Tram 1, 2; Durlach Turmberg
Kunstvoller Umgang mit Blumen.

Grüner Krebs (E 4)
Erbprinzenstr. 21, Innenstadt
Mo–Mi 10–19, Do, Fr 10–19.30,

In den Fächerstraßen denken auch sparsame Menschen gerne über Geburtstagsgeschenke nach

Sa 10–18 Uhr.
S 1/11, 2, 5, Tram 1–4, 6; Europaplatz
Eine Menge pfiffiger Geschenkideen und Accessoires haben die Herren Grüner und Krebs da versammelt. Gehört zu den In-Läden der Innenstadt.

Holz-ARTelier (Durlach C2)
Ochsentorstr. 3, Durlach
07 21/40 10 28
Zeiten nach Vereinbarung
Tram 1, 2; Durlach Schlossplatz
Schöne Möbel, Schatullen, Kleingegenstände.

Hutdesign Regine Kögler (Durlach D 2)
Am Steinbruch 10, Durlach
Tel. 07 21/4 22 96
Zeiten nach Vereinbarung
Tram 1, 2; Durlach Turmberg
Hüte nach individuellem Bedarf und Geschmack. Von extravagant bis alltagstauglich.

Lapislazuli-Galerie (E 4)
Herrenstraße, 23, Innenstadt
Mo–Fr 10–19.30, Sa 10–16 Uhr
www.lapislazuli-galerie.com

S 1/11, 2, 5, Tram 1, 3, 4; Herrenstr.
Gehört zu den schönsten Geschäften in der Innenstadt. Ein bisschen wie Tausend-und-eine-Nacht: Schmuck von Nomaden, Lampen, orientalische Wohnaccessoires, arabische Inneneinrichtungen, gewebte und geknüpfte Teppiche. Besitzer Said Scharam Amin und seine Mitarbeiter bedienen sehr freundlich und unaufdringlich.

MachArt (Durlach B 2)
Amthausstr. 2, Durlach
Mo–Fr 9.30–13 u. 15–18.30 Uhr,
Mi u. Sa nur vormittags
Tram 1, 2; Durlach Schlossplatz
Ein gut sortiertes Handarbeitsgeschäft mit freundlicher und kompetenter Beratung

Majolika-Manufaktur (F 2)
Ahaweg 6, Innenstadt
Mo–Fr 10–19, Sa und So 10–16 Uhr.
www.majolika-karlsruhe.com
Bus 73 bis Linkenheimer Tor oder zu Fuß durch den Schlosspark.
Keramik für Garten und Haus, oft von Künstlerhand gestaltet und an höheren Ansprüchen orientiert. (s. auch S. 81f.).

Einkaufen

Raumausstattung Rosi Gillen (Durlach B 2)

Seboldstr. 3, Durlach
Tel. 07 21/40 19 12
Zeiten nach Vereinbarung
Tram 1, 2; Durlach Friedrichschule
Kunst- und geschmackvolle Stoffdekorationen für Fenster, Polsterarbeiten, Restaurierungen.

Schmuckgalerie Artifex (Durlach B 2)

Bienleintorstr. 25, Durlach
Tel. 07 21/49 86 36
Di–Fr 10–19, Sa 10–14 Uhr
Tram 1, 2; Durlach Friedrichschule
Monika Woicke und Katharina Siegrist setzen kreativ unterschiedlichste Materialien ein und schaffen im wahrsten Sinn des Wortes Spektakuläres.

Plume et Papier (D4)

Wenn man dieses schöne kleine Geschäft betritt, empfängt einen die Atmosphäre von Liebhabern des guten Papiers und der schönen Schrift. Mehr solcher Läden und der handgeschriebene Brief hätte wieder eine Chance. Die Beratung in dieser freundlichen Schreibstube ist sehr zuvorkommend, lässt jedem Kunden aber genug Zeit und Freiheit, sich genießerisch von Regal zu Regal zu bewegen. Man findet da schönste Büttenpapiere neben bunten Japanpapieren. Hier sollte man sich mit einem schönen Füllfederhalter beschenken und den Vorsatz fassen, wieder mehr mit der Hand zu schreiben.
Waldstr. 62, Innenstadt
Mo–Fr 10–13.30 und 15–18.30, Sa 10–18 Uhr
S 1/11, 2, 5, Tram 1–4, 6; Europaplatz

Fabrikverkauf

Exclusiv Design (D 4)

Amalienstr. 37, Innenstadt
Di–Do 10–17, Fr 10–13 Uhr
S 1/11, 2, 5, Tram 1–4, 6; Europaplatz
In diesem Hof gibt es Stoffe, Dekostoffe, Heimtextilien und Bettwäsche.

Heine Lagerverkauf (außerhalb)

Schauenburgstr. 36, Oberreut
Mo–Fr 10–16 Uhr
Tram 1; Hardecksiedlung
Damen-, Herren- und Kindermode sowie Einrichtungsaccessoires als 2. Wahl um bis zu 60 % reduziert.

Rachengold (K 4)

Tullastr. 60, Oststadt
Mo–Fr 9–18 Uhr
S 5, Tram 1, 2; Tullastr.
Fabrikverkauf von Bonbons.

Kaufhäuser & Einkaufsgalerien

Am **Europaplatz** und von da aus entlang der **Kaiserstraße** Richtung Osten finden sich Modekaufhäuser wie Breuninger (Kaiserstr. 146), Karstadt (Nr. 147), H&M (Nr. 90) und C&A (Nr. 52–56).

Ebenfalls am Europaplatz hat im historischen Gebäude der ehemaligen Hauptpost ein modernes Shopping- und Gastronomiecenter Platz genommen. In der **Postgalerie** geht es auf 26 000 m² auf mehreren Stockwerken vor allem um Kleidung, Sportbedarf und Unterhaltungselektronik. Außerdem gibt es einen Ticket-Shop

Die **Ludwigpassage** am Ludwigsplatz gehört zu den Einkaufsgalerien mit hochwertiger Mode. Unweit davon befindet sich im **Gothaer Haus** (Her-

Aus Baden oder Frankreich: Ein guter Wein als Mitbringsel ist schnell gefunden.

renstraße 23) eine ebenfalls junge und interessante Einkaufsgalerie mit einer Reihe schöner Einrichtungsgeschäfte.

Eng mit Karlsruhe verbunden ist der Name **Mann Mobilia.** Die Anfänge des Möbelkaufhauses lagen in der Karlsruher Innenstadt, wo Hugo Mann 1950 sein erstes Geschäft eröffnete. Inzwischen sind es ein paar mehr geworden, und das Karlsruher Haus glänzt an der Durlacher Allee 109 als eines der größten seiner Art in Süddeutschland.

Große Schatten wirft auch Bau des Shoppingcenters **Am Ettlinger Tor** voraus. Das von dem Hamburger ECE-Projektmanagement getragene Projekt soll im Herbst 2005 fertig gestellt sein und auf mehr als 33 000 m² Fläche 130 Geschäfte versammeln.

Lebensmittel

Kräuterhexe (Durlach B 2)
Pfinztalstr. 54, Durlach
Mo–Fr 9.30–13 Uhr, 15–18 Uhr, Sa nur vormittags, Mi Nachmittag geschl.
Tram 1, 2; Durlach Friedrichschule
Gabriele Bickel mischt hier als Deutschlands berühmteste Kräuterhexe (30 Jahre Erfahrung) unter Besen und Raben, die von der Decke hängen, Kräutertees, Salben, Gewürze, … Also Lebensmittel im wörtlichen Sinne.

Scheck-In-Center (G 4/5)
Rüppurer Str. 1, Südstadt
Mo–Fr 8–20, Sa 8–16 Uhr
Tram 3; Mendelssohnplatz
Der Lebensmittelsupermarkt am Mendelssohnplatz wurde von einer Fachjury zum besten Supermarkt Deutschlands des Jahres 2003 gewählt. Die Begründung: Riesige Auswahl, viele internationale Spezialitäten, hervorragender Ladenbau.

Sonnenblume (Durlach B 2)
Am Zwinger 8, Durlach
Mo–Fr 8.30–18.30, Sa bis 13 Uhr
Tram 1, 2; Durlach Friedrichschule
Seit langem beliebter Bioladen mit bes-

Lebensart am Randes des Samstagsmarktes auf dem Gutenbergplatz

tem Käse, Biowein und sehr freundlicher Bedienung.

Weinladen am Gutenbergplatz (B 4)
Nelkenstr. 33, Weststadt
Mo–Fr 10–19, Sa 9.30–14 Uhr
S 1/11, 2, 5, Tram 2, 3; Yorckstr.
Guntram Fahrner, der diese Weinhandlung führt, wurde zu Deutschlands bestem Sommelier des Jahres 2001 gekürt. Man ist also in besten Händen, wenn es hier um das Thema ›Beratung‹ geht. Auf das gute Sortiment darf man sich bei so einem Gaumen ebenfalls verlassen.

Highlight 3

Wilkendorf's Teehaus (E 3)
Waldstraße 22, Innenstadt
Tel. 07 21/2 56 26
www.wilkendorfs-teehaus.de
Mo–Fr 9.30–19, Sa bis 16 Uhr
S 1/11, 2, 5, Tram 1, 3, 4; Herrenstr.
1886 gegründet, gehört dieses Eldorado für Teetrinker zu den ältesten deutschen Teefachgeschäften. Man fühlt sich ein bisschen nach Fernost versetzt.

Ein Panoptikum zum Schauen, Riechen, Studieren und Probieren unzähliger Sorten. Neben klassischen Schwarz- und Grüntees gibt es auch eine bunte Palette von Aroma- und Früchtetees sowie Kräutertees und Gewürzteemischungen. 1998 wurden erstmals Tees aus kontrolliert biologischem Anbau aufgenommen. Selbstverständlich findet man hier alle Accessoires, die zum Teetrinken dazu gehören. Äußerst freundliche und kompetente Bedienung, die ihr Fachwissen in vierter Generation pflegt und gerne weitergibt. Von der Zeitschrift ›Feinschmecker‹ zu den besten zehn deutschen Teegeschäften gezählt. Ein Blick auf die Internetseite lohnt.

Märkte & Flohmärkte

Marktplatz (F 4)
Innenstadt
Mo–Sa 9–18 Uhr
S 1/11, 2, 4/41, 5, Tram 1–5; Marktplatz
Täglicher Blumenmarkt auf dem bedeutendsten Platz der Stadt. Ein richti-

ger Marktplatz – wie Stadtbaumeister Weinbrenner ihn wollte – war es nie, da die repräsentative Bedeutung von Beginn an überwog (s. S. 82).

Stephanplatz (E 4)
Innenstadt
Mo, Mi u. Fr 7.30–12.30 Uhr
S 1/11, 2, 5, Tram 1–4, 6; Europaplatz
Ein Treffpunkt für Feinschmecker: Neben Obst und Gemüse auch eine Reihe an Spezialitäten, Gewürze, Tees, Eingelegtes, Käse etc. (s. S. 86f.).
Von März bis November findet auf dem Stephansplatz an jedem ersten Samstagvormittag des Monats der ›City Flohmarkt‹ statt, der sehr beliebt ist, weil er noch nicht völlig von einschlägigen Profi-Händlern dominiert wird.

Weitere **Flohmärkte:** Städtisches Flohmarkttelefon 07 21/133-72 05.

Mitbringsel

Erlebniswelt Bambus (G 4)
Fritz-Erler-Str. 7, Oststadt
Mo–Fr 11–20, Sa 11–16 Uhr
S 2, 4/41, 5, Tram 1–5; Kronenplatz/Universität
Hier gibt es alles, was man aus Bambus herstellen kann, fertig oder in Form von Bambusstangen mit Bauanleitung. Kleinmöbel, Buschtrommeln, etc. Auch kleine Artikel aus dem Kulturraum des Bambus gehören zum Sortiment des netten Ladens.

Fingerhut (C 4)
Scheffelstr. 16, Weststadt
Tel. 07 21/84 11 55
Mo–Fr 16.30–18.30, Sa 10–14 Uhr
S 1/11, 2, 5, Tram 1, 2; Schillerstr.
Mechanisches Spielzeug: Die Physik als Zauber- und Wunderwelt.

Henrys (F 3)
Zirkel 30 d/Ecke Ritterstr., Innenstadt
Tel. 07 21/35 94 03
Mo–Fr 12–19, Sa 10–16 Uhr
www.henrys-online.de
S 1/11, 2, 5, Tram 1, 3, 4; Herrenstr.
Einer der weltweit nachgefragten Jonglierkeulenhersteller produziert sein Sortiment aus 175 verschiedenen Jonglierkeulen in Karlsruhe und hat nahe am Schloss seinen Verkaufsladen.

Gutenbergplatz (B 4)

Der Gutenbergplatz ist seit ziemlich genau 100 Jahren städtebaulicher Kern und Mittelpunkt des schönen Weststadtviertels mit seinen Gründerzeit- und Jugendstilhäusern. 1904/05 bekam der Platz seine mit dem Lindenblütenfest jährlich gefeierte Bepflanzung in Form von zwei doppelten Lindenreihen. Wo heute auf dem größten, ältesten und schönsten Karlsruher Wochenmarkt vor allem samstags in südländischem Ambiente flaniert, probiert und gekauft wird, rollten im 18. Jh. die Köpfe. Und damit sind keine Salatköpfe gemeint. Bei knapp 50 Ständen herrscht an Markttagen hier ein buntes Treiben zwischen Zucchini, Spargel, frischen Pilzen, selbstgemachten Nudeln und Delikatessen aus dem benachbarten Elsass. Der stimmungsvolle Abschluss eines Vormittags auf diesem Markt findet für Genießer im benachbarten Wohnzimmer-Café ›Großmudders‹ (s. S. 39) statt.
Weststadt
Di, Do, Sa 7.30–12.30 Uhr
S 1/11, 2, 5, Tram 2, 3; Yorckstr.

Mitbringsel

Es gibt in Karlsruhe viele Möglichkeiten, an den klassischen Souvenirläden ungeschoren vorbeizukommen:

Für Akrobaten: Henrys Keulen und Jonglierartikel (s. S. 53).
Für Buschmänner: Ein paar Bambusrohre oder eine Bongotrommel aus der ›Erlebniswelt Bambus‹ (s. S. 53).
Für Erkunder und Radfahrer: die CD Rom ›Mit Karl von Drais durch Karlsruhe‹, erhältlich im Stadtmuseum (s. S. 74, 91).
Für Feinmechaniker: Spielzeug für Erwachsene aus dem ›Fingerhut‹ (s. S. 53).
Für Gartenfreunde: Gartenkeramik, Majolika-Gefäße aus der staatlichen Manufaktur (s. S. 49).
Für Kunstliebhaber: einen alten Kunstdruck mit Karlsruher Motiv aus der Kunsthandlung Gräff (s. S. 47).
Für Lebenskünstler: eine Zweiliter-Steingutflasche mit frischem Bier von ›Vogelbräu‹ (s. S. 35f.).
Für Modefreunde: einen Ledergürtel von Eva Nirk, Durlacher Kreative (s. S. 48).
Für Naschkatzen: das Wahrzeichen der Stadt in süßer Form, eine Schokoladenpyramide aus dem Café Brenner (s. S. 38f.).
Für Nostalgiker: Eine kleine Antiquität mit Stadtbezug bei Karl Leis Antiquitäten (s. S. 46f.).
Für Weihnachtsmänner: Schnitzereien und Krippenfiguren vom ›Karlsruher Brigändle‹ (s. S. 54).
Für Zoologen: Saurier-Holzbausätze aus dem Museum für Naturkunde (s. S. 90).

Karlsruher Brigändle (C 2)
Erzbergerstr. 42 a, Weststadt
Mo, Di, Do, Fr 9–18.30,
Mi u. Sa 9–13 Uhr
Buslinie 70; Erzbergerstraße
Geschnitzte Krippenfiguren und manch anderes Liebenswerte aus Holz.

Mode & Accessoires

Boutique 61 (E 5)
Karlstr. 61, Innenstadt
Mo–Fr 9–18.30, Sa 10–16 Uhr
Tram 2, 4, 5, 6; Mathystr.
Exclusive Damenmode-Boutique mit eigener Kunstgalerie, Top-Adresse in Karlsruhe.

Criterio Damenmode (E 4)
Amalienstr. 11, Innenstadt
Mo–Fr 10–18.30, Sa 10–15 Uhr
S 1/11, 2, 5, Tram 1–4, 6; Europaplatz
Design-Mode bei aufmerksamer Beratung. Labels: Strenesse, Armand Basi, Luisa Cerano u. a.

Hut-Nagel (E 4)
Kaiserstr. 116, Innenstadt
Mo–Fr 10–19, Sa 10–16 Uhr
S 1/11, 2, 5, Tram 1, 3, 4; Herrenstr.
Eines der wenigen in der Kaiserstraße übrig gebliebenen Traditionsgeschäfte.

Marc O'Polo (E 4)
Herrenstr. 23, Innenstadt
Tel. 07 21/2 95 00
Mo–Fr 9.30–20, Sa bis 16 Uhr
S 1/11, 2, 5, Tram 1, 3, 4; Herrenstr.
Aktuelle Trends für Damen und Herren, geschmackvoll ausgesuchte Mode für Freizeit und Job.

Modehaus Schöpf (F 4)
Marktplatz, Innenstadt
Tel. 07 21/38 00 06

Mo–Fr 10–20, Sa 9.30–18 Uhr
S 1/11, 2, 4/41, 5, Tram 1–5;
Marktplatz
Ein großes Modehaus mit Damen-, Herren- und Kindermode, das seit langem als Familienbetrieb geführt wird. Man achtet hier besonders auf guten Service und die hohe Qualität der angebotenen Kleidung. Gilt bei traditionsbewussten Karlsruherinnen als ›ihr‹ Geschäft.

Schirm-Weinig (E 4)
Kaiserstr. 201, Innenstadt
Mo–Fr 10–19, Sa 10–18 Uhr
S 1/11, 2, 5, Tram 1–4, 6; Europaplatz
Seit 1840 kann man hier nicht nur alle möglichen Regenschirme für Groß und Klein erwerben, sondern defekte Schirme auch reparieren lassen.

Stober (E 4)
Waldstr. 57, Innenstadt
Tel. 07 21/23 11 56
Mo–Fr 10–19, Sa 10–16 Uhr
S 1/11, 2, 5, Tram 1–4, 6; Europaplatz
Roland Stober führt ein geschmackvoll zusammengestelltes und angenehm präsentiertes Sortiment an Herrenmode am Ludwigsplatz.

Secondhand

Fitness All in One (B 4)
Yorckstr. 41, Weststadt
Mo–Fr 10–13 u.14.30–18, Sa 10–13 Uhr, Mi vormittags geschlossen
S 1/11, 2, 5, Tram 2, 3; Yorckstr.
Gebrauchte Sportartikel, Sportgeräte und Sportkleidung, vom Inliner bis zum Motorrad.

Hot Wollée (B 4)
Yorckstr. 24, Weststadt
Di–Fr 10–12.30 u. 15–18,
Sa 10–13 Uhr

S 1/11, 2, 5, Tram 2, 3; Yorckstr.
Exclusiv Secondhand mit Designermode. Von Otto Kern bis Jil Sander. Klein aber fein. Bei Frauenkleidung größere Auswahl.

Mann o Mann (B 3)
Yorckstr. 2, Weststadt
Di–Fr 10–13 u. 14–18, Sa 10–13 Uhr
S 1/11, 2, 5, Tram 2, 3; Yorckstr.
Gut erhaltene Männermode. Namhafte Labels.

Urmel (B 4)
Yorckstr. 17, Weststadt
Mo u. Mi 14–18, Di, Do,
Fr 10–13, 14–18 Uhr
S 1/11, 2, 5, Tram 2, 3; Yorckstr.
Ein Kinder-Secondhand mit Babysachen, Spielzeug und Kinderkleidung.

Spielzeug

Doering (F 4)
Ritterstr. 5, Innenstadt
Mo–Fr 10–19, Sa 10–18 Uhr
S 1/11, 2, 5, Tram 1, 3, 4; Herrenstr.
Im Jahr 2004 darf man hier eine große Geburtstagsparty erwarten. Dann verbindet sich der Name ›Doering‹ in Karlsruhe seit 200 Jahren mit dem Spielwarenhandel. So manches Spielzeug, das hier gekauft wurde, ist jetzt schon im Stadtmuseum zu besichtigen. Große Auswahl auf mehreren Etagen.

Kinderglück (E 4)
Herrenstr. 33, Innenstadt
Mo–Fr 10–18.30, Sa 10–16 Uhr
S 1/11, 2, 5, Tram 1, 3, 4; Herrenstr.
Viel Holzspielzeug und ein sehr breites Sortiment an ausgewählten Spielsachen, die auch ohne Batterien funktionieren. Ein Laden, in dem man auch als Erwachsener gerne verweilt.

Ausgehen

Fast südliche Sitten: Die Nacht ist nicht (nur) zum Schlafen da!

Lange Nächte

Von wegen ›Beamtenstadt‹! Auf dem Ludwigsplatz sind an Sommerabenden mehr als 500 Stühle besetzt, und wenn hier gegen Mitternacht von Aufbruch die Rede ist, meint man nicht den Weg in die eigenen vier Wände, sondern ins Nachtleben. Ob in Cocktailbars wie ›Hemingway‹ oder ›Hotel Royal‹, in den vielen Szenekneipen der Oststadt oder den Clubs und Diskos, von denen sich einige rund um den Europaplatz versammelt haben – an vielen Orten sind jetzt Tanz und Talk angesagt. Und wenn da oder dort um halb drei die letzte Runde eingeläutet wird, gibt es noch genügend Adressen, die freitags und samstags erst um fünf Uhr schließen.

Tanzen

Klar, das Nachtleben ist hier studentisch geprägt. Aber in Clubs wie ›Cervo‹, ›Eisenstein‹ oder ›Mood‹ fühlen sich auch ältere Semester mit längst abgelaufenem Studentenausweis wohl. Generell gehört die Disko-Welt der jüngeren Generation, was nicht heißt, dass Tanzen in Karlsruhe eine Altersfrage wäre. Im Gegenteil: Tanz und Tanzsport sind hier große Themen. Durch das kulturelle Engagement der Karlsruher Latino-Szene und die vielen ›Salseros‹ wurde die Stadt zu einer süddeutschen Salsa-Hochburg. Die Generationen der Tanz-begeisterten durchmischen sich, Jugend- und Gesellschaftstanz erleben eine bemerkenswerte Annäherung, Tanzkurse verschiedenster Art schießen wie Pilze aus dem Boden. Und im Herbst 2002 und 2003 war Karlsruhe jeweils Austragungsort der WM für Rock'n'-Roll-Formationen.

Als skurriles Zeichen der Annäherung von ›Konventionell‹ und ›Unkonventionell‹ kann man die Wiener-Walzer-Künste des Publikums in der ›Kulturruine‹ bestaunen. Junge Leute im ›Gothic-Look‹ (schwarze Bekleidung, schwerer Metallschmuck, verrückte Haartracht) beherrschen diesen Tanz besser als viele Gäste des Wiener Opernballs.

Veranstaltungsorte

Große Bedeutung für das Karlsruher Nachtleben haben auch Veranstaltungsorte wie das ›Tollhaus‹, ›Substage‹ oder der ›Tempel‹. Da ihr Programm neben Livemusik eine Vielzahl anderer Kulturaktivitäten einschließt, sind sie dem Kapitel ›Kultur und Unterhaltung‹ zugeordnet (s. S. 71f.).

Einen ersten Überblick über das Bar-, Club-, Disko- und Tanzangebot in Karlsruhe geben die Internetseiten www.ka-nightlife.de und www.tanzeninkarlsruhe.de

Bars & Szene-Lokale

Brasil (D 4)
Amalienstr. 32, Innenstadt
So–Do 19–1, Fr u. Sa bis 3 Uhr
S 2, 4/41, 5, Tram 1–5;
Kronenplatz/Universität
Kneipe, Bar, Studenten- und Künstler-treff – schwer auf einen Nenner zu bringen, was dieser Treff hauptsächlich ist. Man geht am besten hin, um bei Jazz, 70er und 80er Jahre-Musik, Dart und Billard für sich die passende Antwort zu finden.

Café Gitanes (G 4)
Zähringerstr. 15/Fasanenplatz, Oststadt
Tgl. 9–1 Uhr
S 2, 4/41, 5, Tram 1–5;
Kronenplatz/Universität
Seit Jahren ist diese Mischung aus Café und Kneipe ein Studententreffpunkt von morgens (s. S. 36) bis spät am Abend. Ein Kuriosum: Es gibt nicht nur Snacks und Bier, sondern auch Wasserpfeifen mit verschiedenen Fruchtaromen.

Café Ludwig's (E 4)
Waldstr. 61, Innenstadt
Tel. 07 21/2 33 49
So–Do 9–1, Fr und Sa 9–3 Uhr
S 1/11, 2, 5, Tram 1–4, 6; Europaplatz
Hauptgerichte ab 8 €
Eine gute Möglichkeit, in Ruhe schöne Kleidung zu betrachten. Die Menschen, die in den Kleidern stecken, sind weniger interessant. Sie nehmen sich zu wichtig. Deshalb heißt dieses Café im Volksmund auch ›Café Wichtig‹.

Café Wien (G 4)
Fasanenstr. 6, Oststadt
www.cafewien-ka.de
Mo–Do 19–1, Fr, Sa und vor Fei bis 3 Uhr, So ab 10 Uhr
S 2, 4/41, 5, Tram 1–5;
Kronenplatz/Universität
Einer der beliebtesten Karlsruher Sze-netreffs mit studentischem und post-studentischem Flair (s. S. 37).

Gelbe Seiten (F 4)
Karl-Friedrich-Str. 22, Innenstadt
Mo–Fr 9–1, Sa u. So bis 1 Uhr
S 1/11, 2, 4/41, 5, Tram 1–5;
Marktplatz
Das Besondere an der Bar: Mit Licht- und Motivprojektoren verwandeln sich die Wände und damit das Ambiente in Wüsten-, Meeres- oder Hawaiiland-schaften.

Harmonie (G 4)
Kaiserstr. 57, Oststadt
Mo–Do 10–1, Fr, Sa 10–3,

Cantina Majolika (F 2)

Am Rande des Hofes der Majoli-ka-Manufaktur stehen ein paar Bierbänke, die an Sommeraben-den mit gut ausgesuchter Musik beschallt werden. Das Glas Wein dazu – oder auch der Cocktail – kommen aus der Bar, die sonn-tags auch ein gutes Frühstück zububereiten weiß (s. S. 37). Hier kann man es am Abend lange aushalten, auch im Winter (dann natürlich nicht im Hof). Im Som-mer 2003 waren die wöchent-lich mittwochs veranstalteten Feierabend-Partys ein absoluter Renner. Bis zu 3000 Gäste nah-men daran teil und markierten damit einen deutschen After-workparty-Rekord.
Ahaweg, 6–8, Innenstadt
Mo–Sa 10–1,
So u. Fei 10–24 Uhr
S 1/11, 2, 4/41, 5, Tram 1–5;
Marktplatz

So 17–1 Uhr.
S 2, 4/41, 5, Tram 1–5;
Kronenplatz/Universität
Beliebte weil gemütliche Studenten-
kneipe mit Biergarten im Hinterhof.

Kap (G 4)

Kapellenstr. 68, Oststadt
www.kap-ka.de
So–Do 19.30–2, Fr, Sa 19.30–3 Uhr
Tram 3; Mendelssohnplatz
Szenekneipe mit begrüntem Innenhof.
Hier lässt man sich immer wieder etwas
einfallen, um neue Gäste zu finden und
alte Gäste zu binden. Vom sonntäg-
lichen ›Weinprobiertag‹ bis zu beliebten ›Motto-Feten‹ Es gibt Leute, die stö-
ren sich etwas an der düsteren Innen-
einrichtung. Andere schlürfen ihre
Cocktails und sagen: »des g'hört so!«.

Kippe (H 4)

Gottesauer Str. 23, Oststadt
www.die-kippe.de
Tgl. 9–3 Uhr,
Biergarten tgl. 9–23 Uhr. Fr, Sa und
vor Feiertagen bis 24 Uhr.
S 2, 4/41, 5, Tram 1, 2, 4, 5;
Durlacher Tor
Von früh bis spät in die Nacht ein hoch
frequentierter Studententreffpunkt. 20
Sorten Bier, alle möglichen Sorten an
Menschen, hemdsärmelig und gesellig.
Die einzige Kneipe der Stadt mit einer
eigenen Zeitung. Die Speiseangebote
sind sehr preiswert (s. S. 44).

Krokodil (E 4)

Waldstr. 63, Innenstadt
So–Do 8–1, Fr u. Sa 8–3 Uhr
S 1/11, 2, 5, Tram 1–4, 6; Europaplatz
Hier treffen sich abends nicht nur Ju-
gendliche, sondern alle, die sich jung
fühlen. Wie der 75-jährige, in Karlsruhe
arbeitende Star-Designer Luigi Colani
zeigt, kann dieses Gefühl sehr lange

anhalten. Die Getränkekarte ist hier
wichtiger als die Speisekarte (s. S. 37).

Litfass (F 4)

Kreuzstr. 10, Innenstadt
Tgl. 10–1 Uhr
S 1/11, 2, 4/41, 5, Tram 1–5;
Marktplatz
Lebendige Studentenkneipe an der
›Kleinen Kirche‹. Ein weiterer ganztägi-
ger Treffpunkt, mit Biergarten, guten
Speiseangeboten (s. S. 34f.) und hoher
Publikumsfrequenz am Abend.

Ludwigsplatz (E 4)

Innenstadt
Der kleine Dreiecksplatz in der Innenstadt ist tagsüber wie abends der absolute Treffpunkt: Die kurze Mittagspause, der Kaffee im Vorübergehen, der
Platz zum Sehen und Gesehenwerden,
Ausgangspunkt für nächtliche Streifzü-
ge. Tagsüber lassen sich auf den Terras-
senstühlen alle nieder, die vor schöner
Kulisse einen Kaffee genießen möch-
ten. Und dabei ist es unerheblich, ob
auf dem Kassenbon dann ›Krokodil‹,
›Salmen‹ oder ›Ludwig's‹ steht. Die hier
angesiedelten Lokale leben vom Ambiente, zu dem historische Fassaden
ebenso beitragen wie die hier ange-
pflanzten Ulmen. Wer genauer hinsieht,
entdeckt auch einen der wenigen erhaltenen Weinbrenner-Brunnen. Er
diente als Marktbrunnen, denn der
1815 angelegte Platz war lange Zeit
der Standort eines Wochenmarktes.
    Um den Platz herum finden sich ei-
nige schöne Geschäfte, so dass man die
Pause zwischen dem ersten und dem
zweiten Kaffee zu einem kleinen Bummel nutzen kann. Seit 1976 feiern Anwohner und Besucher jährlich am letzten Augustwochenende das Ludwigsplatzfest: drei Tage Livemusik mit
regionalen Kultbands wie ›Knutsch-

Ob Stars oder Sternchen: Musikveranstaltungen sind hier immer gut besucht

fleck‹, drei Tage enges Zusammenrücken und Begegnungen, die dem Namen der Band alle Ehren machen.

Multikulti (F 3)
Schlossplatz 19, Innenstadt
Tgl. 10–1 Uhr
S 1/11, 2, 4/41, 5, Tram 1–5;
Marktplatz
Szenetreff mit kubanisch angehauchtem Flair. Beheizbare und überdachte Terrasse im Innenhof, schöner Freisitz mit Blick auf den Schlossplatz (s. S. 44).

Rih (E 3)
Waldstr. 3, Innenstadt
Mo–Sa 10–1, So 10–24 Uhr
S 1/11, 2, 5, Tram 1, 3, 4; Herrenstr.
Eine beliebte Mischung aus Bar und Café im Erdgeschoss des Badischen Kunstvereins. Hier lässt sich ein angenehmes Völkchen zwischen 20 und 60 Jahren nieder (s. S. 37).

Salmen (E 4)
Waldstr. 55, Innenstadt
So–Do 9–1, Fr u. Sa 9–2 Uhr
S 1/11, 2, 5, Tram 1–4, 6; Europaplatz

Eins der drei am Ludwigsplatz regierenden Bar/Bistros. Draußen sitzt man gemütlich, drinnen stilvoll und in der berechtigten Erwartung, dass dieser Stil auch ein wenig mehr kostet als übliche Kneipen oder Bars.

Ubu (E 3)
Karlstr. 6, Innenstadt
Tgl. 10–1 Uhr
S 1/11, 2, 5, Tram 1–4, 6; Europaplatz
In der ältesten Studentenkneipe der Stadt trifft man sich auch zu Brettspielen. Dienstags finden Quizabende statt. Livemusik und Kleinkunst stehen ebenfalls auf dem Programm.

Zwiebel (H 4)
Durlacher Allee 24, Oststadt
Tgl. 18–1 Uhr
S 2, 4/41, 5, Tram 1, 2, 4, 5;
Durlacher Tor
Die beliebte und derb eingerichtete Studentenkneipe mit Biergarten gehört zum Pflichtprogramm vieler Erstsemester und wird damit zu einer mehrjährigen Hinwendungsadresse für gesellige Abende.

Cocktails

Allvitalis Cocktailbar (E 3)
Stephanienstr. 38–40, Innenstadt
Mo–Sa 20–1 Uhr
S 1/11, 2, 5, Tram 1–4, 6; Europaplatz
Die Bar gehört zur Hotel- und Gastro-
welt, die sich seit 2001 unter der Regie
von Siegfried Weber in der Stephanien-
straße entfaltet. Do 17–19 Uhr jeder
Cocktail zum halben Preis.

Hemingway (B 4)
Goethestr. 45, Weststadt
Mo–Fr 16–2, Sa 11–2 Uhr
Tram 2, 3; Yorckstr.
Die kubanische Cocktail- und Tapasbar
gehört zu den Treffpunkten der leben-
digen Latino-Szene Karlsruhes. Künst-
lertreff und Kultort für Zigarrenraucher.

Hotel Royal (F 4)
Kriegsstr. 94, Innenstadt
Tel. 07 21/933 80 5 0

Mo–Sa 23–3 Uhr
S 1/11, 4/41, Tram 2, 5; Ettlinger Tor
In der Hotelbar gibt es auch für Nicht-
Hotelgäste Cocktails, die zu den besten
der Stadt gezählt werden.

Ohne Gleichen (E 4)
Waldstr. 55, Innenstadt
Mi u. Do 19–2, Fr u. Sa 20–3 Uhr
S 1/11, 2, 5, Tram 1–4, 6; Europaplatz
Die skurril eingerichtete Bar am Lud-
wigsplatz zählt mit ihren Cocktails beim
Publikum diesseits der 50 zu den ›Ins‹
der Innenstadt.

Siehe auch Deelight S. 61, Kap S. 58,
Max-Bar S. 39f., Mood S. 62f.

Diskos & Clubs

Bai Lopes (A 6)
Bannwaldallee, 38, Beiertheimer Feld
www.bailopes.de

Viele der Clubs, hier das ›Carambolage‹, füllen sich erst nach Mitternacht

Mi u. Do 19–1, Fr u. Sa 22–5 Uhr
Tram 1; Bannwaldallee
Ein weiteres Zeichen für die aktive Latino-Szene in Karlsruhe. In den Räumen einer alten Fabrik werden südamerikanische Tänze eingeübt (Tanzschule) und gepflegt (Disko).

Café Latino Havanna (außerhalb)

Hardtstr. 37a, Mühlburg
www.cafe-havanna.de
Mo–Do 18–1, Fr u. Sa 18–3 Uhr
S 2, 5, Tram 2, 5; Entenfang
Der Salsa-Tempel von Karlsruhe ist im Veranstaltungszentrum ›Tempel‹ untergebracht. Regelmäßige Salsa-Partys und jede Menge gute Laune.

Cervo (D 4)

Hirschstr. 18, Innenstadt
www.cervo.de
Fr u. Sa 22–5 Uhr
S 1/11, 2, 5, Tram 1–4, 6; Europaplatz
Der Szene-Club mit kleiner Tanzfläche hat seinen Namen an der eigenen Adresse orientiert. Schnörkellos modern eingerichtet. Bei DJs und Publikum stehen Soul und Funk hoch im Kurs.

Club Le Carambolage (H 4)

Kaiserstr. 21, Oststadt
Tgl. 20.30–3 Uhr
www.carambolage.de
S 2, 4/41, 5, Tram 1, 2, 4, 5; Durlacher Tor
In diesem Musikclub ist das Publikum studentisch geprägt. Ab und an gibt es Livekonzerte. Deutsche und internationale DJs bringen verschiedene Musikstile zum Klingen. Dazu gehören u. a. Funk, Soul, 80er Jahre und Electric Beats.

CO2 Discopark (außerhalb)

Storrenacker 3, Hagsfeld
www.co2-park.de
Mi u. Do 20–3, Fr u. Sa 20–5 Uhr
S 2; Hagsfeld Bahnhof (dann 20 Min. Fußweg)
Auf einer 1400 m² großen Partyfläche wurden mehrere Diskos und Tanzcafés zu einem attraktiven Ganzen zusammengewürfelt. Auf dem Veranstaltungskalender stehen Mallorca-Partys, Miss-Wahlen und viele andere Spektakel.

Deelight (D 4)

Hirschstr. 11A, Innenstadt
www.deelight-lounge.de
So–Do 20–2, Fr u. Sa 21–3 Uhr
S 1/11, 2, 5, Tram 1–4, 6; Europaplatz
Beliebter Treff, auch wegen der Themenabende: z. B. mittwochs ›Cocktailnight‹ mit Niedrigpreisen, donnerstags sind alle offenen Getränke bis 23 Uhr im Eintrittspreis enthalten etc.

Eisenstein (D 4)

Amalienstr. 53, Innenstadt
Do 20–1, Fr u. Sa 22–3 Uhr
S 1/11, 2, 5, Tram 1–4, 6; Europaplatz
In dem kleinen Innenstadtclub ist man auch mit über 30 Jahren gerne gesehen. Hier ist bei eher ruhiger Musik mehr Relaxen als Tanzen angesagt.

Erdbeermund (G 5)

Baumeisterstr. 54, Südstadt
So–Do 20–1, Fr u.Sa bis 3 Uhr
Tram 3; Baumeisterstr.
Disko mit aktuellen und nostalgischen Titeln. Marianne Rosenberg kommt hier ebenso zu Wort wie die ›2-Raum Wohnung‹. Ab und an finden auch Livekonzerte satt. Bevorzugter Treffpunkt für schwules und lesbisches Publikum.

Katakombe (A 5)

Zeppelinstr. 7, Grünwinkel
www.kombe.de
Do 21–2, Fr u. Sa 22–5 Uhr

Ausgehen

Tram 5, Bus 55; Kühler Grund
Seit den 80er Jahren gehört diese Disko in einem alten Kellergemäuer zu den Institutionen des Karlsruher Nachtlebens. Vom Freak bis zum Bankschalterlook: Hier geht an Outfit alles. Ähnlich verhält es sich mit den Musikstilen. Pop, Rock, Hip-Hop und Hardcore finden unter einen großen Hut.

Kulturruine (J 4)
Essenweinstr. 9, Oststadt
www.kulturruine.de
Do, Fr 22–4, Sa 22–5 Uhr
Tram 4, 5; Karl-Friedrich-Platz
Der Chef heißt Mozart. Die Leute in Schwarz und Fledermauslook können auch Wiener Walzer tanzen, und zwar besser als viele Gäste des Wiener Opernballs. Die Szenerie ist allerdings in Karlsruhe anders. Wer sich traut, und das tun viele von Frankfurt bis Freiburg, nur zu. ›Mystische Nächte‹, ›Veitztänze‹, ›Gothic total‹ … so heißen die Themenhighlights. Wem das Outfit noch fehlt, wird problemlos fündig im Spirit Shop (›fashion & gifts from the darkside‹) in der Kaiserpassage 16, Mo–Mi 12–18, Do, Fr 12–20, Sa 12–16 Uhr.

Mood-Lounge (E 4)
Bürgerstr. 12, Innenstadt

In Karlsruhe gibt es viele musikalische Talente

www.mood-lounge.de
Mo–Do 17–2, Fr u. Sa bis 4 Uhr
S 1/11, 2, 5, Tram 1–4, 6; Europaplatz
Ein Club, der im Stil der 60er Jahre eingerichtet ist. Auf zwei Etagen kann man tanzen und talken. Lonely hearts trösten sich mit der großen Cocktailkarte. Auf halbwegs zivile Kleidung wird geachtet.

Nachtcafé (D 4)

Amalienstr. 55, Innenstadt
www.n8cafe.com
Fr, Sa u. jeden ersten Do im Monat
22–5 Uhr
S 1/11, 2, 5, Tram 1–4, 6; Europaplatz
Eine der größten Diskos der Stadt. Gilt auch unter Nichttänzern als beliebter Treffpunkt. Jeden ersten Donnerstag im Monat Livemusik. Das Publikum ist manchmal allerdings so jung, dass man geneigt ist, nach der Ausgeherlaubnis zu fragen.

Panama-Club (E 4)

Blumenstr. 10, Innenstadt
Fr, Sa u. vor Fei 22–5 Uhr
S 1/11, 2, 5, Tram 1–4, 6; Europaplatz
In dieser kleinen Club-Disko (Black Music und Karibik) schaffte der erfolgreiche badische Barde mit dem Fantasienamen ›Laith-al-Deen‹ seinen Durchbruch. Hörprobe gefällig? PC anschalten: www.sonymusic.de/laith/

Unterhaus (E 4)

Kaiserpassage 6, Innenstadt
www.unterhaus.de
Mo u. Di 22.30–3, Mi–4, Do 21–3,
Fr u. Sa 23–5 Uhr.
S 1/11, 2, 5, Tram 1–4, 6; Europaplatz
Vor allem Studentinnen und Studenten bevölkern die Großdisko im Stadtzentrum. Dance-Floor-Music. Mittwochs zwischen 22.30 und 24 Uhr alle Getränke zum halben Preis.

Livemusik & Jazz

Siehe Kapitel ›Kultur und Unterhaltung/ Veranstaltungszentren‹ S. 71f. unter ›Gotec‹, ›Jubez‹ ›Orgelfabrik‹, ›Substage‹, ›Tempel‹ und ›Tollhaus‹.

Jazzclub Karlsruhe e.V. (G 4)

Am Kronenplatz 1,
Innenstadt
Im Jubez
Tel. 07 21/61 78 85
www.jazzclub.de
Konzertbeginn: In der Regel 20.30 Uhr
S 2, 4/41, 5, Tram 1–5;
Kronenplatz/Universität
Seit mehr als 30 Jahren ist der Jazzclub Karlsruhe der Veranstalter anspruchsvoller Musik. In der Szene wird dieser Club als führende deutsche Adresse gehandelt. Das ›Jubez‹ ist sein Domizil. Dort zumeist montags und donnerstags Sessions. Gemeinsam mit dem Tollhaus (s. S. 67f.) veranstaltet der Jazzclub ›Jazznights‹, die auch an anderen Spielorten in der Stadt stattfinden.

Schwul & Lesbisch

Eine gute Übersicht über die Freizeitangebote Karlsruhes unter dem Aspekt ›schwul/lesbisch‹ bietet die Internetsite www.karlsruhe.gay-web.de/

Café Miró (D 3)

Hirschstr. 3,
Innenstadt
Tgl. 16–1 Uhr
S 1/11, 2, 5, Tram 1–4, 6; Europaplatz
Beliebter Treff für Schwule, vor allem mittwochs fest in schwuler Hand.

Erdbeermund (G 5)

Bevorzugte Disko für schwules und lesbisches Publikum (s. S. 61).

Unterhaltung

Klang in Hülle und Fülle. Musik gehört in Karlsruhe einfach dazu.

Neues Selbstbewusstsein

Wer den Mut hat, sich als Europas Kulturhauptstadt 2010 zu bewerben, braucht ein paar Trümpfe in der Hand, die andere nicht haben. Zu diesen Trümpfen gehört in Karlsruhe mit Gewissheit das kulturelle Veranstaltungsprogramm, in dem die so genannte Hochkultur und das, was man gemeinhin ›Alternativkultur‹ nennt, sich zu einem spannenden Ganzen ergänzen.

Die Zeit des Ideologisierens und Polemisierens scheint vorbei. Die Kulturträger verschiedener Provenienz tun in gegenseitigem Respekt jeweils das, was sie am besten können. Musikhochschule, Konservatorium, Staatstheater, Konzerthaus und Kirchenkonzerte stehen in Karlsruhe für die Pflege klassischer Musik. ›Tollhaus‹, ›Tempel‹, ›Jazz-Club‹ und ›Substage‹ verleihen einem anderen Musikstil Ausdruck. Dass sich diese beiden Linien nicht gegeneinander abschotten, sondern vielfach kreuzen, macht die Stadt spannend und setzt viel an Kreativität frei.

Mit dem Badischen Staatstheater und dem ›Tollhaus‹ sind auch schon die beiden besucherstärksten Veranstaltungsorte der Stadt genannt. Kleinere Veranstalter, Tanzbühnen und Kinos beklagen sich hier ebenso wenig über mangelndes Publikumsinteresse. Der neue Filmpalast am ZKM gehört mit seinen knapp 3000 Plätzen zu einem der besucherstärksten Kinos der Republik, und der alt ehrwürdigen Schauburg gelingt es seit langem, für ihr anspruchsvolles Programmkino regelmäßig nationale Auszeichnungen einzuheimsen.

Ging es vor 20 Jahren noch eher um Abriss als um Aufbau (die Durlacher Orgelfabrik weiß ein Lied davon zu singen), so denkt man heute trotz knapper Kassen in Karlsruhe an eine weitere Ausweitung des Kulturangebots: Ab 2006 soll auf dem Gelände des Schlachthofs eine große ›Kulturinsel Ost‹ entstehen, um dort dem ›Tollhaus‹ gute Gesellschaft zu leisten. Für die Bewerbung als ›Europäische Kulturhauptstadt 2010‹ ist die Stadt also in vielerlei Hinsicht gut gerüstet.

Kulturkalender

Neben den Veranstaltungskalendern im Internet (s. S. 5) gibt es einige gedruckte Informationen zum Kulturprogramm der Stadt. Gern gelesen wird das monatlich erscheinende Stadtmagazin ›Klappe auf‹. Der offizielle Veranstaltungskalender der Stadt erscheint zwei Mal im Jahr und wird monatlich von einem Veranstaltungskalender der Karlsruher Messe- und Kongress-GmbH ergänzt.

Kartenvorverkauf

Ticket Forum (E 4)
Kaiserstraße 217, Innenstadt
In der Postgalerie
Tel. 07 21/16 11 22
www.ticketforum.de
Mo–Fr 9–20, Sa 9–16 Uhr
S 1/11, 2, 5, Tram 1–4, 6; Europaplatz

Ticket-Service (F 4)
Marktplatz, Innenstadt
Stadtinformation
Tel. 07 21/2 50 00
Mo–Fr 9.30–19, Sa 10–15 Uhr
S 1/11, 2, 4/41, 5, Tram 1–5;
Marktplatz

Musikhaus Schlaile (F 4)
Kaiserstraße 175, Innenstadt
Tel. 07 21/2 30 00
www.schlaile.de
Mo–Fr 10–19, Sa 10–16 Uhr
S 1/11, 2, 5, Tram 1, 3, 4; Herrenstr.

Viele Karlsruher Kulturveranstalter bieten auf ihren Internetseiten einen eigenen Kartenvorverkauf an.

Feste und Festivals

Händelfestspiele (F 5)
Ende Februar: An den Tagen um den Geburtstag von Georg Friedrich Händel (23.2.1685) widmet sich das Badische Staatstheater seit 1978 jährlich für etwa zehn Spieltage dem Opernschaffen von Händel.

art Karlsruhe
Die Erstveranstaltung dieser neuen Kunstmesse ist für den 4. bis 7.März 2004 vorgesehen. Es haben sich mehr als 100 Galerien aus In- und Ausland angemeldet. Für süddeutsche Kunstfreunde könnte sich so eine Lücke schließen.

Europäische Kulturtage
alle zwei Jahre April/Mai
www.europaeische-kulturtage.de
Ein Festival, das alle zwei Jahre stattfindet. 2004 ist Karlsruhe wieder ein internationaler Treffpunkt für Theater, Literatur, Musik, Bildende Kunst und Architektur.

Museumsfest Badisches Landesmuseum (F 3)
www.landesmuseum.de
Jährlich drei Tage im Mai mit Konzerten, Lesungen, Modeschauen, Theater, Kinderveranstaltungen und kulinarischen Angeboten.

Frühjahrsmess' (K 5)
Die Karlsruher (Kinder) lieben den Rummel nach wie vor. Ende Mai/Anfang Juni gibt es auf dem Messplatz für 10 Tage Riesenrad und Lebkuchenherzen bei der ›Frühjahrsmess'. Ende Oktober/Anfang November heißt sie dann ›Herbstmess'‹.

Hafenfest
Vor wenigen Jahren hat man angefangen und will damit wohl nicht mehr aufhören. Drei Tage im Mai/ Juni wird der Hafen zu einem stimmungsvollen Festplatz mit Musik und Schiffsrundfahrten.

Hoepfners ›Burgfest‹ (J 3)
Jeweils von Pfingstfreitag bis Pfingstmontag verwandelt sich der große Biergarten des ›Hoepfner Burghofes‹ in einen Festplatz (s. S. 33f.).

Schlossfestspiele Ettlingen
www.ettlingen.de
Eine Institution in der Nachbarschaft.

Präsentation internationaler Kulturen: eine ›Tollhaus‹-Spezialität

Vier Wochen im Juni mit hochkarätigem Theater und Konzerten.

Stadtgeburtstag, 17. Juni

www.stadtgeburtstag-karlsruhe.de
Anlässlich der Grundsteinlegung des Karlsruher Schlosses am 17. Juni 1715 feiert die Stadt ihren Geburtstag alle zwei Jahre mit viel Fantasie und mindestens 50 000 Gästen in der Innenstadt.

Durlacher Altstadtfest

Am ersten Wochenende im Juli feiert der Stadtteil Durlach in der Fußgängerzone mit Livemusik auf mehreren Bühnen.

Zeltival (K 5)

www.zeltival.de

Vier Wochen im Juli mit internationalen Theater- und Musikensembles auf dem Geländes des ›Tollhaus‹ (s. S. 67f.). 2003 hatten mehr als 17 000 Besucher – und nach eigenem Bekunden auch die Künstler – ihre Freude an einem begeisternden Miteinander.

Das Fest (B 6, A 5)

Jährlich im Juli findet in der Günther-Klotz-Anlage drei Tage lang das größte Gratis-Open-Air im süddeutschen Raum statt. Von Joan Armatrading und Neneh Cherry über Marla Glen und Simple Minds ist die Liste der Stars illuster und lang.

Kamuna

www.kamuna.de
Jeweils am ersten Samstag im August

findet die Karlsruher Museumsnacht statt. Die Museen und Sammlungen der Stadt sind dann von 18 bis 1 Uhr geöffnet. Der Eintrittsbutton schließt freie Fahrt mit allen öffentlichen Verkehrsmitteln des KVV ein.

Baden-Marathon

www.baden-marathon.de
Stadtspaziergang in erhöhtem Tempo, der jährlich im September ca. 7000 Läuferinnen und Läufer anzieht.

Christkindlesmarkt (F 4)

Ende November bis 23. Dez. auf dem Marktplatz. Über hundert dekorierte Stände rund um die Pyramide. Chöre, Musikvereine, Märchenerzähler. Der Weihnachtsmarkt zählt zu den schönsten der Region. 2003 wurde hier das größte Lebkuchenhaus der Welt präsentiert. Unter dem Motto ›märchenhafte Weihnachtsstadt‹ will sich ab 2003 die ganze Innenstadt in zauberhaftem Ambiente zeigen.

Kleinkunst

Kabarett ›Die Spiegelfechter‹ (Durlach B 2)

Amthausstr. 17–19, Durlach
In der Orgelfabrik
Tel. 07 21/47 62 716 (Kartenvorbestellung)
www.diespiegelfechter.de
Tram 1, 2; Schlossplatz
Seit 1990 politisches Kabarett und seit der Spielzeit 1999/2000 mit eigenen Räumlichkeiten in der Orgelfabrik in Durlach.

Marotte – Figurentheater (C 3)

Kaiserallee 11, Weststadt
Tel. 07 21/84 15 55
www.marotte-figurentheater.de

S 1/11, S 2, 5, Tram 1–3, 6;
Mühlburger Tor
Ein beliebtes, experimentierfreudiges Theater, nicht nur, aber besonders für Kinder. Stoffe aus Märchen und neueren Kinderbüchern werden mit Handpuppen, Marionetten, frei erdachten Formen und Anleihen aus dem Schwarzen Theater umgesetzt. Zusammen mit dem Sandkorn- und dem Jakobus-Theater im ›Fabriktheater‹ untergebracht.

D'Badisch Bühn (außerhalb)

Durmersheimer Str. 6, Grünwinkel
Tel. 07 21/55 94-0
www.beim-schupi.de
S 2, 5, Tram 2, 5; Entenfang, dann Fußweg über Vogesenbrücke
Hier hat ein Karlsruher Original namens ›Schupi‹ eine volkstümliche Saalrevue eingerichtet. Kneipe, Restaurant (s. S. 32), Volksbühne und sogar ein paar Hotelbetten.

Highlight

Tollhaus (K 5)

Schlachthausstr. 1, Oststadt
Tel. 07 21/9 64 05 13
www.tollhaus-karlsruhe.de
Außer in der Sommerpause (August) nahezu täglich Programm ab 20 Uhr.
S 4/41, 5, Tram 1, 2; Tullastr.
Das Tollhaus gehört zu den beliebtesten Abendadressen in Karlsruhe und ist nach dem Staatstheater der zweitgrößte Kulturveranstalter der Stadt.

›Kleinkunst‹ ist hier wahrlich untertrieben. Programmsäulen: Musik, die oft aus Südamerika, Afrika oder Osteuropa kommt. Präsentation neuartiger Musikprojekte. Außerdem zirzensische Abende, die sich an den in Frankreich aufblühenden Aktivitäten neuer Zirkusinterpretationen orientieren. Dazu kom-

Eines der best besuchten deutschen Kinos: der Filmpalast am ZKM

men Open-Air-Veranstaltungen, Kabarett, Tanztheater, Comedy, Disko-Abend und vieles vieles mehr.

Aus dem ›Folkclub‹, wurde 1982 der Kulturverein ›Tollhaus‹. Seit 1992 ist das tolle Haus in der ehemaligen Viehhalle am Schlachthofgelände untergebracht. Es bietet 500 Plätze im Großen Saal, 100 Plätze im Kleinen Saal und ein Foyer-Cafe mit 50 Plätzen. Das alljährlich vom Tollhaus organisierte ›Zeltival‹ (s. S. 66), ein Sommer-Musik-Festival auf dem Freigelände, gehört zu den beliebtesten Events in Baden.

Der Erfolg des Tollhauses findet auch auf offizieller Seite soviel Anerkennung, dass Planungen in Angriff genommen wurden, mit der Schließung des benachbarten Schlachthofes im Jahr 2006 auf dem gesamten Areal eine ›Kulturinsel Ost‹ einzurichten.

Kino

Das Kino (E 3)
Karlstr. 10, im Prinz-Max-Palais,

Innenstadt, Eingang: Garten in der Akademiestr. 38a
Tel. Kasse: 07 21/2 50 41
S1/11, 2, 5, Tram 1–4, 6; Europaplatz
Vorstellungen: Di–So 19 u. 21.15 Uhr, Fr–So auch Kinderfilme um 15 Uhr
Das Kino befindet sich im Souterrain des Prinz-Max-Palais. Es wird von der Kinemathek Karlsruhe e. V. bespielt und ist auch unter diesem Namen bekannt. Mit seinen 80 Sitzplätzen ist es ein typisches Studiokino. Autorenfilme, Filmklassiker, Stummfilme, Experimental- und Avantgardefilme. Achtung: Der Eingang liegt in der Akademiestraße am Gartentor. Der Haupteingang des Palais führt zum Stadtmuseum und ist abends verschlossen.

Filmpalast am ZKM (C/D 5/6)
Brauerstr. 40, Südweststadt
Tel. Kartenreservierung:
07 21/2 05 92 00
Online-Reservierung u. Programm:
www.filmpalast.net
Tram 6; ZKM
Der Name ›Palast‹ ist hier nicht über-

trieben. Zehn moderne Säle, davon neun auch für Rollstuhlfahrer gut erreichbar. Jede Menge Preisaktionen vom Premierentag (Do für 5,40 €) über Sonderpreis-Tage (Di für 4,20) bis hin zu deutlichen Kinderermäßigungen. Kinderfilme gehören zum festen Bestandteil des Programms, das sich an Kassenschlagern orientiert. Das moderne und professionell geführte Großprojekt liegt in Händen eines erfahrenen Kinobetreibers, der vor vielen Jahren mit der ›Schauburg‹ das beliebteste Programmkino Karlsruhes aufgebaut hat.

Schauburg (G 5)

Marienstr. 16, Südstadt
Tel. Kasse: 07 21/3 50 00 18
Tel. Programm: 07 21/35 00 00
www.schauburg.de
Tram 3; Baumeisterstr.
Die Institution, wenn es in Karlsruhe um das Thema ›Kino‹ geht. Oft mit nationalen Awards für das außergewöhnlich gute Programmkino bedacht. Neben den Kassenschlagern auch immer wieder interessante Filmklassiker, Originalfassungen, Reviews etc. In den Sommermonaten veranstaltet die Schauburg Open-Air-Kinonächte am Schloss Gottesaue (s. S. 85). Beliebt ist auch das sonntägliche ›Kinofrühstück‹ in den Monaten Oktober bis Mai. Buffet und Filmbesuch kosten zusammen 8 €. Frühstück im Foyer ab 10, Film ab 11 Uhr.

Oper & Konzerte

Für Opern und Konzerte mit klassischer Musik ist in Karlsruhe das **Badische Staatstheater** (s. S. 70) die erste Adresse. Die zweitgrößte Bühne Baden-Württembergs veranstaltet jährlich im Februar die Händelfestspiele (s. S. 65) und hat einen deutlichen Schwerpunkt in den Bereichen Oper und Konzert. Als weitere Spielstätte für größere Aufführungen gibt es in das Konzerthaus Karlsruhe am Festplatz (s. S. 79).

Mit dem **Festspielhaus Baden-Baden** (s. S. 100f.) liegt eine internationale Opern- und Konzertbühne weniger als 30 Autominuten von Karlsruhe entfernt.

Als Aufführungsorte kleinerer Konzerte und Musikabende haben sich in den letzten Jahren die Kirchen in Karlsruhe sehr beliebt gemacht. So ist die **Stadtkirche** seit 1997 jeweils im Juli Veranstaltungsort für den Internationalen Orgelsommer. Auch in der **St. Stephanskirche**, der **Lutherkirche** und der **Kleinen Kirche** finden übers Jahr regelmäßig Konzerte und Choraufführungen statt. Die **Seebühne im Stadtgarten** dient in den Sommermonaten als Veranstaltungsort für Konzerte unter freiem Himmel.

Theater & Ballett

Die Käuze (außerhalb)

Königsbergerstr. 9, Waldstadt
Tel. 07 21/68 42 07 (Theaterkasse)
Tel. Vorverkauf: Di u. Do 10–12 Uhr
www.kaeuze-theater.de
Tram 4; Glogauerstr.
Das Kinder-, Jugend- und Erwachsenentheater ist das einzige Kellertheater in der Stadt. Neben dem Spielplan stehen musikalische Veranstaltungen, Lesungen und Ausstellungen auf dem Programm. Chef dieses sozial engagierten Ensembles ist Karl Kaufmann, passionierter Kurzstreckenläufer und 1960 Silbermedaillengewinner bei der Olympiade in Rom. Für die Langstrecke, die er mit den Käuzen von 1967 bis

Badisches Staatstheater (F 5)

Der Theaterbau am Ettlinger Tor wurde 1975 eröffnet und steht in Nachfolge des von Friedrich Weinbrenner erbauten Hoftheaters. Dieses wurde 1847 durch ein Feuer zerstört und als Neubau von Heinrich Hübsch 1853 wieder eröffnet. 1918 vom Hoftheater in Badisches Landestheater und 1933 in Staatstheater umbenannt, fiel das schöne Haus am Schloss im Zweiten Weltkrieg den Bomben zum Opfer. Erst mit dem Neubau von 1975 entstand wieder eine Spielstätte mit mehreren Bühnen und Sälen. Das Badische Staatstheater avancierte zu einer über die Region hinaus angesehenen Bühne mit den Sparten Musiktheater, Konzert, Ballett und Schauspiel. Seit dem Jahr 2000 ist auch das Karlsruher ›Insel‹-Theater angegliedert. Neben der Pflege der Klassik engagiert sich die Programmgestaltung vor allem für die Entdeckung verloren geglaubter Stücke und Opern und die Förderung der Moderne. Mit Aktivitäten wie ›Karlsruhe Downtown‹, Matineen und Theaterfesten erschließt sich das Badische Staatstheater ein breites Publikum. ›Karlsruhe Downtown‹ steht für eine Reihe von Kleinprojekten, bei denen Ensemblemitglieder ungewöhnliche Spielorte für Aufführungen nutzen. Baumeisterstr. 11, Innenstadt
Tel. 07 21/93 33 33 (Tageskasse)
www.karlsruhe.de/Kultur/
Staatstheater/
Tageskasse: Mo–Fr 10–13 u. 16–18.30, Sa 10–13 Uhr
S 1/11, 4/41, Tram 2, 5; Ettlinger Tor/Staatstheater

heute bravourös zurückgelegt hat, gebührt ihm eine weitere Medaille der Anerkennung.

Die Insel (E 5)

Karlstr. 49a, Südweststadt
Tel. 07 21/3 55 74 50
Vorverkauf: s. Bad Staatstheater
Tram 2, 4, 6; Karlstor
Das vom Badischen Staatstheater geführte Insel-Theater verfügt über 174 Plätze im Erdgeschoss und 80 Plätze in einem darunter gelegenen Studio. Zeitgenössische Stücke, kleine Musicals und Jugendtheater bilden die Schwerpunkte.

Kammertheater (außerhalb)

www.kammertheater-karlsruhe.de
Die seit 1956 bestehende Boulevard-Bühne musste dem Bau des neuen ECE-Shoppingcenters am Rondellplatz weichen. Eine Neueröffnung in der Herrenstraße (Innenstadt) ist für Frühjahr 2004 geplant.

Sandkorntheater (C 3)

Kaiserallee, 11, Innenstadt
Tel. 07 21/84 89 84
(Programm und Karten)
www.sandkorn-theater.de
S 1/11, 2, 5, Tram 1–3, 6;
Mühlburger Tor
Das 1956 gegründete Privattheater ist seit langem ein wichtiger Teil der Karlsruher Kulturszene. Als Aushängeschild des ›Fabriktheaters‹, in dem mehrere Ensembles untergebracht sind, verfügt es über zwei Bühnen mit insgesamt 330 Plätzen. Moderne und oft unbequeme Programminhalte, in den vergangenen Jahren auch Musicals, haben dem ›Sandkorn‹ großes Ansehen geschaffen. Bei aller kritischen Reflexion gesellschaftlicher Entwicklungen ging dabei die Lust an der Komödie nie ver-

loren. Nach dem Staatstheater das zweitbest besuchte Haus der Stadt.

Veranstaltungsorte

Badnerlandhalle (außerhalb)

Rubensstr. 21, Neureut
www.badnerlandhalle.de
S 1/11; Neureut, Bärenweg
In der modernen Halle im Stadtteil Neureut finden Konzerte, Theateraufführungen, Tauschbörsen und andere Veranstaltungen statt, bei denen zwischen 500 und 800 Gästen Platz brauchen.

dm-arena (außerhalb)

Messe Karlsruhe
B 36 (Rheinstetten)
www.dm-arena.de
S 2; Leichtsandstr/Messe
An Veranstaltungstagen Bus-Shuttle vom Hauptbahnhof
Die Multifunktionshalle des im Herbst 2003 eingeweihten neuen Messegeländes umfasst 12 500 m^2 und bietet (bei Bestuhlung) bis zu 9000 Besuchern

Platz. Mit allem ausgestattet, was man sich an zeitgemäßer Technik vorstellen kann, ein Ort für Konzerte, Sport, Kongresse und TV-Shows. Mit Gottschalks ›Wetten, dass‹ hatte die Halle im Oktober 2003 ihre große Fernsehpremiere. Ihren Namen erhielt die dm-Arena von der dm-Drogeriemarkt-Kette, die ihren Stammsitz in Karlsruhe hat.

Die neue Messe verfügt über insgesamt vier Hallen und wird den ›Handelsplatz Karlsruhe‹ sicher stärken.

Besonders die Bereiche Medizin/-technik, Informationstechnologie, Investitionsgüter und Tourismus/Freizeit haben Karlsruhe für sich bereits als guten Messeplatz entdeckt.

Hallenbauten am Festplatz und an der Südtangente

Am Festplatz (Südweststadt) gibt es neben der **Schwarzwaldhalle** (s. S. 86) und dem **Konzerthaus** (s. S. 79) weitere Hallenbauten, die für kulturelle Nutzungen offen stehen. Ebenso wie die **Europahalle** an der Südtangente (hier finden für bis zu 9000 Besucher

Mit Fantasie, Mut und Können hat sich das Sandkorntheater die Gunst eines großen Publikums erspielt

viele sportliche Großereignisses statt) werden sie von der Karlsruher Messe- und Kongress GmbH (KMK) verwaltet. Dort sind unter Tel. 07 21/37 20-53 40 auch entsprechende Programminformationen erhältlich.

Jubez (G 4)

Am Kronenplatz 1, Innenstadt
Tel. 07 21/93 51 93
www.jubez.de
S 2, 4/41, 5, Tram 1–5;
Kronenplatz/Universität
Das Jugend- und Begegnungszentrum Jubez gibt es seit 1982. Es liegt mitten in der Stadt und ist weit mehr als ein übliches Jugendzentrum. Etwa 200 Einzelveranstaltungen bieten Livemusik aller Populärstile ebenso wie Newcomer-Wettbewerbe, Kleinkunst, Theater, Kindertheater und Kinderfilme. Außerdem ist das Jubez schon lange das Domizil und der Auftrittsort des Jazzclub Karlsruhe (s. S. 63).

Orgelfabrik (Durlach B 2)

Amthausstr. 17–19, Durlach
Tel. 07 21/40 14 43
www.karlsruhe.de/Kultur/Orgelfabrik
Tram 1, 2; Schlossplatz
In den 80er Jahren drohte der denkmalgeschützten Fabrik der Abriss. Großer Protest der Karlsruher Kulturszene trug aber zur Rettung bei. Dann gab es Planungen, in der Fabrik für den in Karlsruhe lebenden Künstler und Kunstlehrer Markus Lüpertz ein Atelier einzurichten. Engagierte Kulturfreunde aus Durlach und Karlsruhe setzten hingegen die öffentliche kulturelle Nutzung des schönen Bauwerks durch. Inzwischen haben ein Trägerverein und die Stadt hier einen gut besuchten Veranstaltungsraum für Theater, Kleinkunst, Ausstellungen und Musik geschaffen. Fester Spielort der Kabarett-Gruppe

›Die Spiegelfechter‹. Es gibt daneben Lesungen, Chanson-Abende und Aufführungen klassischer Musik.

Substage (F 5)

Kriegsstr. 15, Innenstadt
Tel. 07 21/37 72 74
www.substage.de
S 1/11, 4/41, Tram 2, 5;
Ettlinger Tor/Staatstheater
Der Livemusik-Club in der ehemaligen Fußgängerunterführung am Ettlinger Tor veranstaltet regelmäßig Rock-Konzerte. Zum Angebot dieses Kulturzentrums gehören auch Workshops und die Unterstützung bei CD-Eigenproduktionen. Die Arbeit dieses Clubs wird auch von nationalen und internationalen Rockgrößen gewürdigt. Auf Tourneen legen sie im Substage öfter einen Zwischenstopp ein.

Tempel (außerhalb)

Hardtstr. 37a, Mühlburg
Tel. 07 21/55 41 74
www.kulturverein-tempel.de
S 2, 5, Tram 2, 5; Entenfang
Der Kulturverein Tempel nutzt das denkmalgeschützte Gebäude der ehemaligen Brauerei Seldeneck (s. S. 117). Er versteht sich als soziokulturelles Zentrum und gilt mit dem einbezogenen Café Latino Havanna als ›zweites Zuhause‹ für viele süd- und mittelamerikanische Gäste. Salsa wird hier groß geschrieben. Man sieht und hört im Tempel auch immer wieder interessante und ungewöhnliche Formationen (z. B. Saxophonquartett) und Tanztheaterpräsentationen. Neben den Bühnenveranstaltungen gibt es Tanzkurse, Kunstwerkstätten, Tauschbörsen und Kindermalkurse.

Tollhaus (K 5)

Siehe S. 67f.

Unterwegs mit Kindern

Informationen

Karlsruhe hat Kindern viel zu bieten. In der monatlich erscheinenden und im Buchhandel kostenlos ausliegenden Zeitung ›Karlsruher Kind‹ (www.karlsruher-kind.de) finden sich dazu aktuelle Informationen.

Stadtrundfahrt

Start eines Kinderprogramms könnte beispielsweise eine eigens für Kinder eingerichtete Stadtrundfahrt sein. Von Ende Juli bis Anfang August geht es mittwochs um 14 Uhr für zwei Stunden mit einem Bus voller ›Flöhe‹ durch die Stadt (Tel. 07 21/37 20 53 76).

Museen

Zuerst ist hier das Kindermuseum der **Staatlichen Kunsthalle** (s. S. 89) zu nennen. 1973 gegründet, gehört es zu den ältesten und besten Kindermuseen in Deutschland. Das **Staatliche Museum für Naturkunde** (s. S. 90) fordert Kinder ebenfalls auf, Exponate durch Berührung zu erfahren. Das Kommando »Finger weg!« ist hier überflüssig. Auch das **ZKM** (s. S. 92) unternimmt Kinderführungen, um den Nachwuchs ab ca. 6 Jahren spielerisch mit neuen Medien vertraut zu machen.

Theater & Kino

Die Bühnen der Stadt bieten Kindern eine große Auswahl an Theaterstücken an. Allen voran das **Marotte-Figurentheater** (s. S. 67). Kinderkino gibt es täglich in der **Schauburg** (s. S. 69) und an Wochenenden auch im Kino des **Prinz-Max-Palais** (s. S. 68).

Restaurants/Essen gehen

Hunger? Da helfen das **Badisch Brauhaus** mit seiner langen Innenrutsche (s. S. 33) oder die **Obermühle** in Durlach mit Kinderkarte, halben Portionen und einem wunderschönen Mühlrad am Garten (s. S. 40). Bei **Mc Donald's** in der Pulverhausstraße 42 haben Kinder und Erwachsene Spaß an originalgetreuen Nachbauten von Karlsruher Symbolen wie der Weinbrenner-Pyramide, der Draisine als erstem Laufrad sowie des ersten Autos von Carl Benz.

An der frischen Luft

Die kleine **Schlossgartenbahn** neben dem Haupteingang des Schlosses fährt von Ostern bis November einen schönen, 2,5 km langen Rundkurs.

Ein richtiges Freiluft-Abenteuer für Kinder ist das **Naturschutzzentrum Rappenwört** (s. S. 95). Dschungelartige Rheinauen durchforsten oder dem Kindererlebnisraum einen Besuch abstatten? Nach Möglichkeit beides!

Natürlich kommt für solche Unternehmungen auch der **Zoo** (s. S. 95) in Frage. Dort wartet nicht nur Europas modernstes Eisbärgehege, sondern auch ein kleiner See mit Gondoletta-Booten.

Schöne **Spielplätze** mit langen Rutschen und Tretboot-Teichen finden sich in der Günther-Klotz-Anlage und im Fasanengarten.

Ausflug

Für den gelungen Auftakt eines KIndertages ebenso gut wie für den Abschluss ist die Fahrt mit der **Turmbergbahn** in Durlach (s. S. 108), der ältesten noch in Betrieb befindlichen Standseilbahn Deutschlands. Oben angekommen, bietet der Turm gute Kletter- und Ausguckmöglichkeiten. Der Abstieg durch die Weinberge macht ebenfalls Spaß.

Aktiv in Karlsruhe

Die Günther-Klotz-Anlage: bevorzugter Übungsplatz für Ruderer

Boule

Wer frankreichnah eine ruhige Kugel schieben möchte, geht zum Schlossplatz vor das Westtor des Parks oder in Durlach auf den Bouleplatz vor der Karlsburg. Näheres: ›Boule Connection Karlsruhe‹: www.bca-ka.de.

Joggen

Ans Stadtzentrum angrenzende Jogging-Strecken finden sich in der Günther-Klotz-Anlage. Dort kann man kilometerlang an dem kleinen Flüsschen Alb entlang laufen. Im Schlosspark gibt es ebenfalls schöne Wege und ein reizvolles Panorama. Und direkt am Adenauerring beginnt ein 2,5 km langer Trimm-Dich-Pfad durch den Hardtwald.

Klettern

›The Rock‹ heißt die Attraktion in der Nähe des Westbahnhofes (Ziegelstr. 1–3, Tel. 07 21/5 69 54 82, Tram 5; Mühlburger Feld). Auf einer Kletterfläche von 1180 m² kann man 18 m nach oben steigen. Näheres: www.Kletter zentrumKarlsruhe.de. Die Kletterhalle des Alpenvereins (Am Fächerbad 2) steht dem nicht viel nach.

Schwimmen

Badeseen

Karlsruhe ist von Badeseen umgeben. Sie werden von den Gesundheitsbehörden ausnahmslos als ›zum Baden

Radfahren

Wo 1817 die Vorstufe des Fahrrades erfunden wurde und offizielle Weltmeister bei den Radkurieren unterwegs sind, kann sich auch das innerstädtische Radwegenetz sehen lassen. In den ausgedehnten Wäldern der Hardtebene und den Rheinauen gibt es eine Vielzahl stadtnaher Touren, die auch mit Kindern unternommen werden können. Wer als Gast radeln möchte, wendet sich an Mike's Bike in der Weststadt (s. S. 18). Im Stadtmuseum gibt es für 10 € die CD-Rom ›Mit Karl von Drais durch Karlsruhe‹. Diese Stadtrundfahrt zum Thema Biedermeier schlägt eine Route vor, die an den wichtigen Sehenswürdigkeiten vorbeiführt. Weitere Informationen gibt die örtliche Sektion des ›Verkehrsclubs Deutschland‹: www.vcd.org/karlsruhe/ sowie die Internetseite www.rad-karlsruhe.de

geeignet‹ bezeichnet. Der Badesee Buchtzig liegt zwischen Ettlingen und Malsch an der L 607 und zeichnet sich durch einen großen Sandstrand, Kinderfreundlichkeit und Serviceeinrichtungen aus. Der Epple-See bei Forchheim (Rheinstetten) verfügt als Baggersee über sehr sauberes Wasser, eine FKK-Zone und eine große Liegewiese.

Frei- und Hallenbäder

Eine Übersicht über alle Karlsruher Frei-, Strand- und Hallenbäder gibt: www.karlsruhe.de/Sport/Bad/

Rheinhafenbad

Honsellstr. 39, Rheinhafen
März–Nov.

Vierordtbad (F 5)

Das Bad wurde 1871–1873 von Josef Durm im italienischen Renaissancestil errichtet und zählt heute noch zu den schönsten Gebäuden Karlsruhes. Schöne Freskenmalerei mit italienischen Landschaftsbildern. Zunächst gab es hier nur Wannenbäder, da Ende des 19. Jh. Mehrfamilienhäuser oft ohne Badezimmer auskommen mussten. Mit einem Schwimmbecken wurde das Bad erst im Jahr 1900 ausgestattet. Nach einer umfangreichen Renovierung soll die Schwimmhalle des Bades in der zweiten Jahreshälfte 2004 wiedereröffnen. Die Großsauna und das gesamte Gesundheitsangebot werden von den Besuchern sehr geschätzt.

Festplatz 1, Südstadt
www.vierordtbad.de
S 1/11, 4/41, Tram 2;
Kongresszentrum

Tram 5; Rheinhafen
Sehr beliebt wegen des beheizbaren 50-Meter-Beckens und der langen Saison von Frühling bis in den späten Herbst.

Rheinstrandbad Rappenwört

Hermann-Schneider-Allee 50–54, Rappenwört
Tram 2; Rappenwört
Landschaftlich sehr schön gelegen, allerdings wird im Naturbecken am Rhein schon lange nicht mehr gebadet, sondern in vier Schwimmbecken. Das 75 Jahre alte Bad gehört zu den Wochenendzielen vieler Karlsruher.

Fächerbad

Am Sportpark 1, Waldstadt
www.faecherbad.de
Tram 4, Bus 123; Fächerbad
50-Meter-Sportbecken, gute Kombination aus Familien- und Sportbad. Großer Saunagarten.

Skaten

Zu den beliebtesten Orten der Karlsruher Skater gehören: Platz an der Europahalle (Südweststadt, Tram 1; Europahalle) und der Ostauepark in der Schlachthausstr. (Oststadt, Tram 1, 2; Tullastr). Über regelmäßige und beliebte ›Skate-Nites‹ informiert www.skate nite-karlsruhe.de

Tennis

Es gibt in Karlsruhe mehr als 300 Tennisplätze und 18 Tennishallen. Bei der Touristinformation (s. S. 16) lässt sich erfragen, welche Plätze und Hallen jeweils am günstigsten zum Standort/Hotel liegen.

Sehenswert

ZKM und Städtische Galerie: Kunst und Technologie als Motoren der Stadt

Orientierung in der Stadt

Die klare Symmetrie und Achsenbildung der Karlsruher Innenstadt machen es für Besucher einfach, die Anlage des Stadtkerns zu erfassen. Die ›Fächerstraßen‹ führen vom Schloss bzw. Schlossturm als absolutem Mittelpunkt nach Süden in die Stadt. Strahlenförmig nach Norden gehende Straßen und Wege führen in den Hardtwald und folgen dem Vorsatz des Stadtgründers, das Schloss als Mittelpunkt einer Sonne zu etablieren.

Die Kaiserstraße durchbricht als Haupteinkaufsstraße den Fächer in Ost-West-Richtung. Sie ist großenteils als Fußgängerzone angelegt. Ihren Namen erhielt sie anlässlich der Goldenen Hochzeit des deutschen Kaiserpaares im Jahr 1879. Ebenfalls von Ost nach West verläuft die Kriegsstraße, ein ehemaliger Transportweg für Kriegsgerät. Sie bildet den Abschluss der Kernstadt. Die meisten historisch wichtigen Gebäude und Sehenswürdigkeiten der Stadt finden sich im ›Fächer‹.

Stadtviertel

Dörfle

»An Karlsruhe schließt sich ein Dörfchen an, das Klein-Karlsruhe heißt. Dieses Nest dient zu nichts, als den Plan der Stadt Karlsruhe ganz zu verderben und zu verunstalten …«. Soweit eine Chronik aus dem Jahr 1792 zu dem Viertel, das zwar kein namentlicher Stadtteil, wohl aber eine feste Größe in Karlsruhe ist. Im Dreieck aus Kapellenstraße, Adlerstraße und Kaiserstraße in der östlichen Innenstadt gelegen, war es der Wohnort von »Gesindel ohne Stimm- und Bürgerrecht«. Gemeint waren damit Taglöhner, Soldaten und allein erziehende Frauen. In den Jahren nach 1970 wurde hier die größte nachkriegsdeutsche Flächensanierung vorgenommen. Altbausubstanz blieb dabei nur im Osten des Viertels erhalten. Heute ist das Dörfle durch studentische Kneipen geprägt. Die Straßenprostitution hat dort in einem kleinen Sperrbezirk ihren Platz.

Durlach

Die östlich liegende ›Mutterstadt‹ Karlsruhes wurde 1938 eingemeindet, pflegt aber bis heute mit kompletter Infrastruktur und malerischen Gassen ihr Eigenleben. Ein bevorzugter Wohnort für Karlsruher Künstler und Kulturschaffende (s. S. 108f.).

Mühlburg

Auch Mühlburg war schon lange vor Karlsruhe auf der Landkarte (erste Nennung 1248). Hier wurde im Pfälzischen

Erbfolgekrieg 1689 schon ein Schloss zerstört, als in Karlsruhe noch gar keines stand.

Wie Mühlburg haben sich auch Knielingen und Daxlanden am Rheinufer als eigenständige Gemeinden entwickelt und nach der Eingemeindung (im späten 19. und frühen 20. Jh.) eine starke eigene Identität bewahrt.

Oststadt

Durch die Nähe der Universität ist der östlich an die Innenstadt anschließende Stadtteil studentisch geprägt. Das ehemalige Arbeiterviertel hat sich auf diese Weise dem schöneren Leben zugewandt. Veranstaltungsorte wie das ›Tollhaus‹ sowie viele Kneipen und Studentencafés haben hier ihren Platz.

Weststadt (mit Südweststadt)

In diesem Stadtteil westlich des Mühlburger Tores gibt es viele schöne Häuser aus der Gründerzeit und nachgefragte Wohnlagen (Musikerviertel). Traditionell sind hier Großbürgertum und Bürgertum zuhause.

Auf dem Gutenbergplatz findet samstags der schönste Karlsruher Wochenmarkt statt.

Südstadt

Aus der ehemaligen ›Eisenbahnervorstadt‹ südlich der Kriegsstraße und östlich der Ettlingerstraße ist inzwischen ein ›Multikulti-Viertel‹ entstanden. Der Ausländeranteil beträgt 25 %, was die Südstadt lebendig und vielfältig macht. In den Straßen um den Werderplatz fühlen sich die ›Südstadtindianer‹ am wohlsten. Wo dieser merkwürdige Beiname herkommt, erfährt man am Werderplatz: 1889 gastierte Buffalo Bill mit seiner fahrenden Westernshow in der Südstadt. Die Bevölkerung war so begeistert, dass in den 1920er Jahren hier

ein ›Indianerbrunnen‹ mit entsprechender Skulptur geschaffen wurde. Ob am Kiosk des Werderplatzes, im Kultkino ›Schauburg‹ (s. S. 69) oder in der Café-bar ›Milano‹ (Ecke Marien-/Schützenstr.): Informelle Kommunikationszentren gibt es in der Südstadt viele.

Plätze & Bauwerke

Bundesgerichtshof (E 4)

Ecke Herrenstr./Kriegsstr., Innenstadt
Tram 2, 4, 6; Karlstor
Als Standort der beiden höchsten deutschen Gerichte ist Karlsruhe in Deutschland eine ›Residenz des Rechts‹. Der Bundesgerichtshof hat seinen Sitz im ehemaligen Erbherzoglichen Palais, das

StattReisen Karlsruhe

»Haben Sie vielen Dank für die spannende und kurzweilige Führung!« – Solche Mails dürfen die Damen von StattReisen Karlsruhe häufiger öffnen. Es macht einfach Spaß, auf diese Weise Karlsruhe zu erleben. Hier wird nicht abgespult, sondern mit Wissen, Witz und Einfühlungsvermögen erzählt. Zu den 14 Themenspaziergängen gehören u. a. ›Klar und lichtvoll wie eine Regel‹ (Innenstadt), ›Draußen vor der Tür‹ (Oststadt), ›Zwischen Bierkellern und Richtplatz‹ (Weststadt), eine Fahrradtour durch den Schlossgarten, ›Handwerker und Huren‹ (Dörfle), ›Eisenbahn und Indianerleben‹ (Südstadt). Tel. 07 21/1 61 36 85 Führungen meist So 11 und 14 Uhr www.stattreisen-karlsruhe.de (s. auch S. 19)

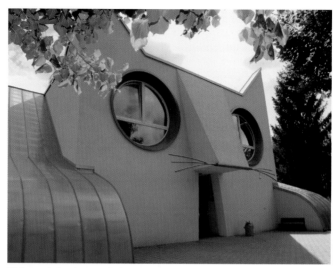

Nicht nur beim ›Katzen-Kindergarten‹ wird in Karlsruhe mutig und unkonventionell gebaut

Ende des 19. Jh. von Josef Durm als Neobarockbau errichtet wurde. Der ›BGH‹ ist die höchste Gerichtsinstanz für Zivil- und Strafprozesse. Das Revisionsgericht überprüft vor allem Urteile untergeordneter Instanzen.

Bundesverfassungsgericht (F 3)

Am Schlossplatz, Innenstadt
S 1/11, 2, 4/41, 5, Tram 1–5;
Marktplatz
Siehe S. 112.

Dammerstocksiedlung (E/F 8)

Dammerstockstr., Dammerstock
S 1/11; Dammerstock
Unter der Leitung von Walter Gropius entstand in den Jahren nach 1928 im Karlsruher Süden eine von der Fachwelt viel beachtete Wohnsiedlung im Bauhaus-Stil.

Mehrfamilienhäuser in Zeilenbauweise sollten Arbeitern ein preiswertes, gesundes Wohnen im Grünen ermöglichen. Am Dammerstock wurden in nur siebenmonatiger Bauzeit 228 Wohnungen in 23 Formen sowie ein Waschhaus und andere Gemeinschaftseinrichtungen realisiert. Die Siedlung steht unter Denkmalschutz und ist noch bewohnt.

Evangelische Stadtkirche (F 4)

Marktplatz, Innenstadt
S 1/11, 2, 4/41, 5, Tram 1–5;
Marktplatz
Die 1816 fertig gestellte Stadtkirche adaptiert als wichtiger Weinbrenner-Bau in klassizistischen Formen den Typus des römischen Podientempels. Der Glockenturm wurde deshalb an die Rückseite gerückt. Eine Vorhalle mit sechs korinthischen Säulen, die einen Dreiecksgiebel tragen, nimmt Bezug auf den Vorbau des gegenüber liegenden Rathauses.

Zerstörungen durch den Zweiten Weltkrieg wurden im Außenbereich originalgetreu behoben, während das Innere der Kirche dabei eine völlig veränderte, formal strenge Gestalt erhielt.

Nach Abschluss dieser Arbeiten im Jahr 1958 wurde der Leichnam Weinbrenners vom alten Friedhof in die Gruft unter der Vorhalle umgebettet. In der Stadtkirche finden oft Konzerte und Konzertreihen (z. B. ›Internationaler Orgelsommer‹) statt.

Fasanenplatz (G 4)

Oststadt
S 2, 4/41, 5, Tram 1–5; Kronenplatz/Universität
Ein idyllisch gelegener Platz, der vor allem von Studenten frequentiert wird, weil hier schon lange das ›Café Gitanes‹ residiert.

Forschungszentrum Karlsruhe

(außerhalb) Siehe S. 96f..

Gutenbergplatz (B 4)

Weststadt
S 1/11, 2, 5, Tram 1, 2, 3; Schillerstr.
Aus dem ehemaligen Richtplatz wurde im frühen 20. Jh. ein Marktplatz. Aus dieser Zeit stammt auch die noble Randbebauung mit repräsentativen Stadthäusern. Hier findet samstags vormittags der stimmungsvollste Wochenmarkt Karlsruhes statt (s. S. 53).

Karlsburg (Durlach C 2/3)

Pfinztalstr. 9, Durlach
Tram 1, 2; Durlach Schlossplatz
Nachdem Markgraf Karl II. sich entschlossen hatte, die Residenz der Markgrafschaft Baden nach Durlach zu verlegen, ließ er ab 1563 die mittelalterliche Tiefburg zu einem Schloss ausbauen. Nach dem Umzug des Hofes in das Schloss der neu gegründeten Stadt Karlsruhe (1718) erlebte die Karlsburg einen langsamen Abstieg. Bis zum Tode der Markgräfin 1743 blieb sie Nebenresidenz. 1964 erwarb die Stadt das Gebäude. Heute ist die Karlsburg

ein Kulturzentrum und Sitz des Pfinzgaumuseums.

Katzen-Kindergarten (außerhalb)

Wettersteinstr. 16a, Wolfartsweier
Ab Hbf. Buslinie 47 bis Wolfartsweier Mitte
Nach der Idee des Cartoonisten Tomi Ungerer bekam der Kindergarten die Form einer ›Katze auf der Pirsch‹. Hundert Kinder laufen der Katze seit 2002 täglich durchs Maul in den Bauch. Große Katzenaugen dienen als Fenster. Der Rücken ist als Flachdach begrünt. Ein nachahmenswertes Modell der Kindergartenarchitektur.

Kleine Kirche (F 4)

Ecke Kaiserstr./Kreuzstr., Innenstadt
S 1/11, 2, 4/41, 5, Tram 1–5; Marktplatz
Die in der zweiten Hälfte des 18. Jh. errichtete ›Kleine Kirche‹ gehört zu den ältesten Kirchen der Stadt. Sie gilt als Symbol für die religiöse Toleranz. Bei Gottesdiensten und Veranstaltungen stehen Randgruppen im Mittelpunkt. Sie dient auch als beliebter Veranstaltungsort für kleine Kirchenkonzerte. An der Nordseite rechts erinnert eine Bodenplatte an alle Karlsruher Aids-Opfer.

Konzerthaus Karlsruhe (F 4)

Festplatz, Südstadt
Tram 5; Konzerthaus
Das Konzerthaus Karlsruhe wurde von den Architekten Curjel und Moser zwischen 1913 und 1915 als neoklassizistischer Bau errichtet. Eine umfassende Restaurierung und Modernisierung in den Jahren 1993/94 stellte den im Zweiten Weltkrieg zerstörten Säulenportikus wieder her und verlieh dem Haus eine zeitgemäße Veranstaltungstechnik.

Sehenswert

›Mittendrin‹: der Ludwigsplatz als absoluter Treffpunkt in der Innenstadt

Künstlerkneipe Krone (außerhalb)

Pfarrstr. 18, Daxlanden
Tram 2; Hammweg

Es gibt Pläne, dieses Bau- und Kulturdenkmal in Daxlanden wieder zu beleben. Anfang 2004 soll hier wieder das entstehen, was einmal war: Eine Gaststube nebst Gärtchen als Treffpunkt für Künstler und Kulturinteressierte.

Highlight

5

Ludwigsplatz (E 4)

Innenstadt
S 1/11, 2, 5, Tram 1–4,6; Europaplatz

Der geselligste Platz Karlsruhes; vor allem in den Monaten Mai bis Oktober, wenn die Cafés und Bars ihre Terrassen bewirten. Mit der Überwölbung des Landgrabens, der hier vorbei floss, entstand die Platzanlage gegen 1820. Der Landgraben selbst gehört nach wie vor zu den interessanten Bauwerken der Stadt. Im 16. Jh. als Steinschiffkanal für den Stadtbau unverzichtbar, dient er heute auf 10 km Länge als Hauptsammler von Regenwasser und Abwässer. Sein großes Gewölbe von 5,2 auf 3,6 m macht sogar Begehungen möglich. Der letzte erhaltene Weinbrenner-Brunnen am Ludwigsplatz wurde lange aus dem Landgraben gespeist. In den Nachkriegsjahren war der Ludwigsplatz ein gesichtsloser Parkplatz. 1975/76 wurde er zum Forschungsgegenstand einer Arbeitsgruppe aus Architekten, Bildhauern, Kunsthistorikern und anderen Wissenschaftlern. Ihren Auftrag, den Platz zu verschönern und die historische Randbebauung zur Geltung zu bringen, haben sie hervorragend gelöst. Seit 1976 feiern Anwohner und Besucher jährlich am letzten Augustwochenende das Ludwigsplatzfest (s. auch S. 58f.).

Lutherkirche (J 4)

Durlacher Allee 23, Oststadt
Tram 1, 2; Gottesauer Platz
Siehe S. 116.

Highlight

Majolika-Manufaktur (F 2)

Ahaweg 6, Innenstadt
Tel. 07 21/926 65 83
Di–So 10–13 und 14–17 Uhr
Bus 73 bis Linkenheimer Tor
oder durch den Schlossgarten zu Fuß.

Die wunderschön im Hardtwald gelegene Staatliche Majolika-Manufaktur wurde 1901 auf Betreiben des Malers Hans Thoma als Großherzoglicher Betrieb gegründet und hat eine wechselvolle Geschichte mit mehrfachem Besitzerwechsel erlebt. Seit Mitte der 1990er Jahre ist die Manufaktur als private GmbH in Besitz der Landesbank Baden-Württemberg. Parallel zu diesen Wechseln herrschte in der Manufaktur oft Verunsicherung bezüglich der Produkt- und Gestaltungslinien. Zwar wurden von Anfang bekannten Namen wie Karl Hubbuch, Alfred oder Max Laeuger als freie Künstler gewonnen. Aber bei der Herstellung von Fliesen, Tellern, Schalen, Vasen, Garten- und Baukeramik blieb lange unklar, wie der Weg zwischen einem hohen künstlerischen Anspruch und preiswerter Massenware zu beschreiten war. Mit einer Generalsanierung des Fertigungsgebäudes und dem Einbezug der ›Cantina Majolika‹ (s. S. 57) als gastronomischem Betrieb in den 1990er Jahren, vor allem aber mit der Übernahme der Geschäftsführung durch den Marketingexperten Anton Goll im Januar 2000, kam viel frischer Wind in die kulturgeschichtlich so wertvolle Manufaktur. Im Juni 2000 wurde der ›blaue Strahl‹ als begehbare Linie aus 1645 blau glasierten Bodenfliesen geschaffen. Diese Linie folgt einer der ursprünglich 32 Radialachsen, die vom Schloss abgehen. Jetzt ist es eine ästhetische Verbindung von der Manufaktur zum Schlossturm und bringt den Vorsatz der neuen Majolika-Manufaktur zum Ausdruck, ›in der Stadt wieder stärker präsent zu sein‹. Für eine Programmerneuerung konnten namhafte und anerkannte Künstler wie Colani und Lüpertz gewonnen werden. Die Gartenkeramik verabschiedete sich

Die Majolika-Manufaktur: eine neue, alte Adresse für Freunde von Kultur und Kommunikation

Sehenswert

Die Pyramide: Stadtsymbol und Grablege des Gründers von Karlsruhe

von jeglicher Gartenzwergmentalität und erkannte den Bedarf an diesbezüglich zeitgemäßen Formen.

Führungen durch die Manufaktur finden auf Anfrage statt (Tel. s. o.). Informationen zum Majolika-Museum s. S. 90 und zu Galerie/Verkauf S. 49.

Highlight

Marktplatz (F 4)
Innenstadt
S 1/11, 2, 4/41, 5, Tram 1–5;
Marktplatz

Der wichtigste Platz in Karlsruhe: historisches Zentrum, Ort für Empfänge und städtische Repräsentation sowie Mittelpunkt der Fußgängerzone. Die Fachliteratur zählt den Marktplatz zu den schönsten klassizistischen Platzanlagen in Deutschland.

Friedrich Weinbrenner entwickelte den Platz um 1800 aus einem kleinen Kirchplatz zum zentralen Gegenstück des Schlossplatzes und demonstrierte damit die Wandlung vom Fürstenhof zur Bürgerstadt. An die Stelle der abgebrochenen Konkordienkirche, die bis dahin Grablege des Stadtgründers Markgraf Karl Wilhelm gewesen war, setzte Weinbrenner eine **Pyramide** als neue Gruft. Diese dreistöckige Grablege aus Rotsandstein gehört zu den Wahrzeichen Karlsruhes. Ein Modell mit Innenansicht ist im Stadtmuseum (s. S. 91) zu sehen.

Die **Evangelische Stadtkirche** an der Ostseite des Platzes (s. S. 78f.) zeigt einen vorgebauten Säulenportikus und musste nach der Zerstörung im Zweiten Weltkrieg wieder hergestellt werden. An den beiden Seiten der Kirche baute

Weinbrenner je ein **Lyzeumsgebäude**. Jetzt ist im rechten Haus das Sozialgericht untergebracht, im linken die Stadtinformation sowie ein gutes Restaurant/Café.

Das gegenüberliegende **Rathaus** wurde 1805–1825 errichtet. Die baulichen Beziehungen zur Stadtkirche sind offensichtlich: Säulenportikus, Giebelfront und Turm finden an der Kirche ihre Entsprechungen. Zwischen Rathaus und Kirche erinnert auf dem Marktplatz ein Denkmal an den Großherzog Ludwig. Die gesamte Platzanlage jedoch ist ein großes Denkmal für Friedrich Weinbrenner.

Als Sohn eines Hofzimmermeisters wurde **Friedrich Weinbrenner** im November 1766 in Karlsruhe geboren.

Die junge Residenz war damals ein Zentrum des aufgeklärten Absolutismus. Schon als 16-Jähriger übernahm Weinbrenner nach dem frühen Tod seiner Eltern den Familienbetrieb und bildete sich autodidaktisch weiter, um mit 22 Jahren eine knapp zehnjährige Wanderschaft durch die europäischen Zentren des kulturellen Schaffens zu beginnen. Dabei prägte ihn die Auseinandersetzung mit den Baudenkmälern der Antike in Rom am meisten. In seine Heimat zurückgekehrt, erlebte der ›badische Schinkel‹ nach kurzer Zeit den Höhepunkt seiner Karriere.

Mausoleum im Hardtwald (H 1)

Lärchenallee, Hardtwald
Mi 15–17, So 10–12 Uhr und nach Vereinbarung unter
Tel. 07 21/69 71 52
Buslinie 30; Büchinger Allee

Die am nordöstlichen Ende des Fasanengartens gelegene Fürstliche Grabkapelle wurde Ende des 19. Jh. errichtet. Die mit romanischen und gotischen Elementen versehene Kapelle ist eine Grabstätte für 18 Angehörige des Hauses Zähringen-Hohenzollern, der regierenden Markgrafen von Baden.

Neues Ständehaus (F 4)

Ständehausstr. 2, Innenstadt
S 1/11, 2, 5, Tram 1, 3, 4; Herrenstr.
Stadtbibliothek und Erinnerungsstätte.
Das 1993 neu eingeweihte Gebäude nimmt den Platz des ›Ständehauses‹ als erstem deutschen Parlamentsgebäude

Sehenswert

Der Rheinhafen: für die Bevölkerung lange im Abseits, jetzt auf dem Weg zu einem interessanten Veranstaltungsort

ein. Es war 1820–1822 nach modifizierten Plänen von Friedrich Weinbrenner durch dessen Schüler Friedrich Arnold errichtet worden, nach-dem Großherzog Karl 1818 für das junge Großherzogtum Baden eine Verfassung erlassen hatte, die als freiheitlichste des frühen Konstitutionalismus in Deutschland bezeichnet wird.

Die Erinnerungsstätte an die historische Funktion des Gebäudes ist in der Rotunde an der Ecke Ständehausstraße/Ritterstraße eingerichtet.

Postgalerie (E 4)
Kaiserstr. 217, Innenstadt
S 1/11, 2, 5, Tram 1–4, 6; Europaplatz
Seit 2001 ein großes Shopping-Center in einem hundert Jahre älteren Prachtbau mit neobarocker Fassade. Im Jahr 1900 wurde der Koloss als Karlsruher Hauptgebäude der Reichspost eröffnet. Vor dem Gebäude, auf dem Europaplatz, erinnert das Leibgrenadierdenkmal als schlanker Pfeiler mit dem badischen Wappentier des Greifs als Krone daran, dass hier einst eine Infanteriekaserne stand. Sie war von Friedrich

Weinbrenner errichtet worden, als die Markgrafschaft Baden zum Kurfürstentum avancierte und die Residenz Karlsruhe im Jahr 1803 eine Garnison erhielt. Der Status als Garnisonsstadt endete mit dem Untergang der Monarchie nach dem Ersten Weltkrieg.

Prinz-Max-Palais (E 3)
Karlstr. 10, Innenstadt
S1/11, 2, 5, Tram 1–4, 6; Europaplatz
Ein Bauwerk des Karlsruher Architekturprofessors Josef Durm aus dem Jahr 1884. Die große Stadtvilla mit idyllischem Garten wurde ursprünglich für einen Bankier errichtet. Es war damals das größte und nobelste Privathaus in Karlsruhe. Nach dem Verkauf an die markgräfliche Familie zogen Prinz Max von Baden und seine Gattin Prinzessin Luise von Cumberland in das Palais ein.

Am 27.09.1944 wurde das Haus bei einem Bombenangriff in Schutt und Asche gelegt. Nach der Restaurierung residierte hier das Bundesverfassungsgericht von 1951 bis 1969. Nach dessen Umzug in neue Gebäude am Schloss ging das Palais an die Stadt. Heute beherbergt es Stadtmuseum, Museum für Literatur am Oberrhein sowie Kinder- und Jugendbibliothek (s. S. 90f.).

Rheinhafen (außerhalb)

Werftstr. 2, Mühlburg
Tel. 07 21/599-74 09
www.rheinhafen.de
Tram 5; Rheinhafen

Der 1901 eröffnete Rheinhafen verzeichnet derzeit einen Güterumschlag von ca. 6 Mio. Tonnen pro Jahr. Historische Großbauten wie das Getreidelagerhaus, Werfthallen und Verwaltungsgebäude verleihen dem Hafen ein gutes Potenzial, als Veranstaltungsort und Freizeitraum an Bedeutung zu gewinnen. Jährlich stattfindende Rheinhafenfeste deuten dies an. Außerdem ist beispielsweise geplant, in einer ehemaligen Fabrikationshalle Künstlerateliers einzurichten. Im Rheinhafen trainieren auch weltmeisterliche Ruderer und Kanuten. Geführte Hafenbesichtigungen gibt es auf Anfrage.

Highlight

Schloss und Schlossplatz (F 3)

Innenstadt
S 1/11, 2, 4/41, 5, Tram 1–5;
Marktplatz

Das Schloss, der große Schlossgarten und der weiträumige Vorplatz bilden eine Einheit, die zum Wichtigsten und Schönsten gehört, was man sich in Karlsruhe ansehen kann. Wer die Treppen des Schlossturms emporsteigt, der allerdings nur über das Badische Landesmuseum (s. S. 88) zu erreichen ist, befindet sich am absoluten Mittelpunkt der Stadt und kann eine herrliche Aussicht auf die berühmte Fächeranlage genießen.

Die Grundsteinlegung am 17. Juni 1715 bedeutete die Stadtgründung Karlsruhes und wird jährlich als großes Geburtstagsfest gefeiert. Der erste in Fachwerk errichtete Schlossbau war schon nach kurzer Zeit marode und bedurfte einer grundsätzlichen Überarbeitung, die zwischen 1752 und 1785 durchgeführt wurde.

Der dreiflügelige Bau öffnet sich zur Stadtseite hin, wobei die schräg angesetzten Seitenflügel die Endpunkte der äußeren Zirkelstraßen sein sollten. Die zentrale Fläche des Schlossplatzes war zuerst ein exotischer Pflanzengarten, dann Paradeplatz, mit dem Erstarken des Bürgertums auch Flanier- und Rummelplatz. Der mit Lindenreihen gesäumte Platz bildet heute ein würdiges Entree zum Schloss. Nach der Abdankung des Großherzogs Friedrich II. wurde das Schloss 1919 zur Unterbringung des Badischen Landesmuseums bestimmt. Diese Aufgabe erfüllt es bis heute. Das 1944 durch Bombenangriffe völlig zerstörte Schloss zeigt sich wieder in eindrucksvoller Schönheit (Schlossgarten s. S. 93f.).

Schloss Gottesaue (J 5)

Wolfartsweierer Straße 7a, Oststadt
S 5, Tram 1, 2; Gottesauer Platz

Der imposante Bau wurde Ende des 16. Jh. als markgräfliches Lustschloss im Renaissancestil gebaut und folgte an dieser Stelle einem Benediktinerkloster aus dem 11. Jh. Nach 1818 wurde daraus eine Kaserne, nach Zerstörungen im Zweiten Weltkrieg eine Ruine. Der erneute Wiederaufbau war 1997 vollzogen. Jetzt Sitz der Staatlichen Hochschule für Musik, einer Institution, deren Wurzeln bis ins frühe 19. Jh. zurück reichen. Das Schloss ist nur von außen zu besichtigen.

Schwarzwaldhalle (F 5)
Festplatz, Südstadt
S 1/11, 4/41, Tram 2; Kongresszentrum

Das 1953 von Erich Schelling als Kongresshalle am Rande der Innenstadt errichtete Bauwerk erhielt im Jahr 2000 den Status eines Kulturdenkmals. Auch nach 50 Jahren wirkt das ovale Bauwerk durch das Spannbeton-Hängedach noch zeitlos modern und elegant. Die Hallenkonstruktion diente dem Zeltdach des Münchner Olympiastadions 1972 als Vorbild und Modell.

Staatliche Münze (E 3)
Stephanienstr. 28a, Innenstadt
S1/11, 2, 5, Tram 1–4, 6; Europaplatz

Das letzte von Weinbrenner geplante Bauwerk stellte Friedrich Theodor Fischer 1826 als harmonisch gegliedertes Haus fertig. Im Giebelfeld über dem mittig platzierten Säulenbalkon verweist ein Eichenkranz mit dem Initial ›L‹ auf Großherzog Ludwig als Gründer der Münzprägeanstalt. In frühen Jahren wurden die Münzen mit Anteilen aus Rheingold hergestellt. Noch heute gehört Karlsruhe zu den fünf deutschen Städten mit Prägeanstalten (Euro- und Centmünzen mit dem Buchstaben ›G‹).

Stephanplatz (E 4)
Innenstadt
S 1/11, 2, 5, Tram 1–4,6; Europaplatz

dem Vorbild des römischen Pantheons errichtet. Auf den Kirchturm, der Baden-Württembergs größte Kirchenglocke trägt, wollte Weinbrenner aus stilistischen Gründen ursprünglich verzichten. In der St. Stephanskirche wurde im Herbst 2003 das Projekt der ›Europäischen Glockentage 2004‹ vorgestellt. Dabei soll vom 22. bis 27. September 2004 in Karlsruhe die kulturgeschichtliche Bedeutung der Glocke ins Blickfeld unterschiedlicher kultureller Betrachtungen gerückt werden (www.europaeische-glockentage.de)

Universität Karlsruhe (G 4)
Kaiserstr. 12, Oststadt
www.uni-karlsruhe.de
S 2, 4/41, 5 Tram 1–5; Kronenplatz/Universität
Das Hauptgebäude der Technischen Universität ist ein sehenswerter Bau von Heinrich Hübsch aus den Jahren 1833–1836. Vorgänger und erste Technische Universität in Deutschland war das ›Polytechnikum‹, das hier 1825 nach dem Vorbild der Pariser ›Ecole polytechnique‹ gegründet wurde. Seit 1902 trägt die Universität den Namen ›Fridericiana‹. Zu den jüngeren Pionierleistungen der Universität Karlsruhe gehören die Versendung der ersten E-Mail in Deutschland im Jahr 1984 sowie wenig später die Herstellung des ersten deutschen Internet-Direktanschlusses.

Im Zuge des Baus der Postgalerie wurde der Platz 2001/2002 mit einer Tiefgarage unterkellert und neu angelegt. Erhalten hat sich der große Brunnen mit Quellnymphe und Pfeilern, die groteske Gesichtszüge Karlsruher Prominenter aus dem Jahr 1905 zeigen. Durch seine Größe eignet sich der Stephanplatz gut für Märkte und Flohmärkte (s. S. 53).

St. Stephanskirche (E 4)
Erbprinzenstr. 14, Innenstadt
S 1/11, 2, 5, Tram 1, 3, 4; Herrenstr.
Die katholische Kirche zählt zu den schönsten Weinbrenner-Bauten überhaupt. Sie wurde 1808–1814 nach

Vierordtbad (F 5)
Siehe S. 75.

Zentrum für Kunst und Medientechnologie, ZKM (C 5)
Siehe S. 92.

In Form und Inhalt sehenswert: das Gebäude der Staatlichen Kunsthalle

Museen & Sammlungen

Der weit gespannte inhaltliche und historische Bogen Karlsruher Museen reicht von naturwissenschaftlichen Darstellungen zur Geschichte der Erde (Museum für Naturkunde) bis zu Ausblicken in die Welt von morgen (Zentrum für Kunst und Medientechnologie, ZKM). Als gemeinsames großes Plus dürfen die Museen für sich in Anspruch nehmen, angestaubte didaktische Konzepte längst hinter sich gelassen zu haben.

Badischer Kunstverein (E 3)

Waldstr. 3, Innenstadt
Tel. 07 21/282 26
www.badischer-kunstverein.de
Di–Fr 11–19, Sa u. So 11–17 Uhr

S 1/11, 2, 5, Tram 1, 3, 4; Herrenstr.
Eintritt: 3 €, erm. 1,50 €
Als zweitältester Kunstverein in Deutschland wurde der Badische Kunstverein in Karlsruhe 1818 gegründet. Mehr als 1400 Mitglieder unterstützen den Verein bei seiner Aufgabe, Gegenwartskunst in das gesellschaftliche Geflecht vor Ort einzuweben.

Highlight

Badisches Landesmuseum – Karlsruhe (F 3)

Schloss, Innenstadt
Tel. 07 21/926 - 65 14
www.landesmuseum.de
Di–Do 10–17, Fr–So, 10–18 Uhr
S 1/11, 2, 4/41, 5, Tram 1–5;

Marktplatz
Erw. 4, erm. 3, Schüler 0,50 €
(inkl. Sonderausstellung)
Fr 14–18 Uhr freier Eintritt
(ohne Sonderausstellung)
Freier Eintritt mit dem oberrheinischen
Museumspass.

Das Badische Landesmuseum geht in seinen Ursprüngen auf die Kunstkammern der beiden badisch-markgräflichen Herrscherlinien Baden-Durlach und Baden-Baden im 16. Jh. zurück. Es besitzt heute umfangreiche Sammlungen von der Steinzeit bis in die Gegenwart mit ca. 250 000 Objekten.

Das Universalmuseum vernetzt Zeugnisse der Kunst, des Kunsthandwerks, der regionalen Landesgeschichte, der Volkskunde und der Alltagskultur zu einer Gesamtsicht. Überwiegend neu präsentierte Sammlungsausstellungen im Stammhaus, dem Karlsruher Schloss, in zwei Außenstellen und fünf Zweigmuseen sowie zahlreiche Sonderausstellungen und Kulturevents.

Die Sammlungsausstellungen im Schloss umfassen Exponate von der Ur- und Frühgeschichte bis in die Gegenwart. Schwerpunkte bilden die größte Antikensammlung Baden-Württembergs, die weltberühmte ›Türkenbeute‹ – eine Trophäensammlung aus dem 17. Jh. – und die neu eingerichtete landesgeschichtliche Abteilung ›Baden und Europa 1789–1918‹.

Das Badische Landesmuseum versteht sich als besucher- und dienstleistungsorientiertes Haus. Neben Führungen werden Aktionsräume und ›offene Werkstätten‹ zum Mitmachen eingerichtet. Ausstellungen mit architektonischen Inszenierungen, wie z. B. einer römischen Villa oder eines griechischen Tempels. Allein in Karlsruhe zählt das Badische Landesmuseum insgesamt mehr als 300 000 Besucher pro Jahr.

Staatliche Kunsthalle (E/F 3)

Die Sammlung umfasst Kunst aus sieben Jahrhunderten, vor allem Werke deutscher, französischer und niederländischer Meister. Rund 800 Gemälde und Skulpturen sind im Hauptgebäude und in der Orangerie ständig zu sehen. Das Kupferstichkabinett mit rund 80 000 Blättern ist eine der ältesten Grafiksammlungen Europas. Die Schwerpunkte der Sammlung sind: deutsche Malerei – Spätgotik und Renaissance, niederländische Malerei 16.–18. Jh. französische Malerei 17. 19. Jh., deutsche Malerei und Skulptur 19. Jh., europäische Malerei und Skulptur von der klassischen Moderne bis zur Gegenwart (s. auch S. 112).

Das 1973 gegründete Kindermuseum gehört zu den ältesten Einrichtungen dieser Art in Deutschland.

Hans-Thoma-Str. 2–6, Innenstadt
Tel. 07 21/926 33 55
www.kunsthalle-karlsruhe.de
Di–Fr 10–17, Sa, So, Fei 10–18 Uhr
S1/11, 2, 5, Tram 1–4, 6; Europaplatz
Eintritt 4 €; ermäßigt 2,50 €
Kupferstichkabinett: Mi 14–17 Uhr oder nach Vereinbarung
Tel. 07 21/92 66 61, -33 60

Medienmuseum (C 5)
Siehe S. 92.

Museum beim Markt (F 4)
Karl-Friedrich-Str. 6, Innenstadt
Tel. 07 21/926-65 78
www.landesmuseum.de
Di–Do 11–17, Fr–So 10–18 Uhr

Sehenswert

S 1/11, 2, 4/41, 5, Tram 1–5;
Marktplatz
Erw. 2 €, erm. 1 €, Schüler 0,50 €
Fr 14–18 Uhr freier Eintritt
(ohne Sonderausstellung)
Freier Eintritt mit Oberrheinischem
Museumspass
Teil des Badischen Landesmuseums.
Große Sammlung angewandter Kunst
seit 1900. Dazu gehören eine hervor-
ragende Jugendstil-Sammlung sowie

Staatliches Museum für Naturkunde (F 4)

Das Karlsruher Naturkundemu-
seum kann auf 200 Jahre
Sammlungs- und Forschungs-
geschichte zurückblicken. Im
Gegensatz zu sonstigen musealen Gebotsschildern heißt hier
das Motto ausdrücklich »Bitte
berühren!«. Auf zwei Stockwerken umfasst die Ausstellung unter anderem ein Vivarium (von
Fischen und Korallen bis zur grünen Baumpythos), Gesteins- und
Mineraliensäle sowie einen Afri-
ka-, Dinosaurier- und Insekten-
saal (Sammlung von mehr als
2 Mio. Schmetterlingen!).
Das herrschaftliche Museumsge-
bäude aus dem Jahr 1872 wurde im Zweiten Weltkrieg zerstört
und hundert Jahre nach seiner
Errichtung ein ›zweites Mal geboren‹.
Erbprinzenstr. 13, am Friedrichsplatz, Innenstadt
Tel. 07 21/175 21 11
www.naturkundemuseum-
karlsruhe.de
Di–Fr 9.30–17, Sa, So, Fei
10–18 Uhr
S 1/11, 2, 5, Tram 1, 3, 4;
Herrenstr.
Eintritt: Erw. 2,50, erm. 1,50 €

Objekte vom Art Déco über das Bau-
haus bis hin zum postmodernen De-
sign. Beim Betrachten von Designer-
stücken lässt sich auch daran erinnern,
dass Luigi Colani als einer der bekann-
testen zeitgenössischen Designer seit
2002 Wahl-Karlsruher ist.

Museum in der Majolika-Manufaktur (F 2)

Ahaweg 6, Innenstadt
Tel. 07 21/926 - 65 83
www.landesmuseum.de
Di–So 10–13 und 14–17 Uhr
Bus 73 bis Linkenheimer Tor
oder durch den Schlossgarten zu Fuß.
Erw. 2 €, erm. 1€, Schüler 0,50 €
Fr 14–18 Uhr freier Eintritt
Freier Eintritt mit Oberrheinischem
Museumspass
Als Teil des Badischen Landesmuseums
gibt die Präsentation anhand von ca.
1000 ausgewählten Exponaten einen
Überblick über die Produktion der Ma-
nufaktur (s. auch S. 81f.).

Museum für Literatur am Oberrhein (E 3)

Prinz-Max-Palais
Karlstr. 10, Innenstadt
Tel. 07 21/133 40 87
www.karlsruhe.de/Kultur/MLO/
Di, Mi, Fr, Sa 10–18 Uhr, Do 10–19,
Sa 14–18 Uhr
S1/11, 2, 5, Tram 1–4, 6; Europaplatz
Eintritt frei
Zeugnisse der Literatur am Oberrhein
von den Anfängen bis zur Gegenwart
anhand vieler Originale und Materialien.

Pfinzgaumuseum (Durlach C 2/3)

Pfinztalstr. 9, Karlsburg, Durlach
Tel. 07 21/133 42 22, -42 28, -42 17
www.karlsruhe.de/Kultur/
Pfinzgaumuseum

Nicht nur für Kinder spannend: das Staatliche Museum für Naturkunde

Mi 10–13, Do und Fr 10–13 und 16–19, Sa 14–17, So 10–17 Uhr
Tram 1, 2; Durlach Schlossplatz
Der Eintritt ist frei.
Das Pfinzgaumuseum zeigt in den Räumen der barocken Karlsburg die Geschichte der bis 1938 selbständigen Stadt Durlach. Chronologisch aufgebauter Rundgang.

Stadtmuseum (E 3)

Prinz-Max-Palais
Karlstr. 10, Innenstadt
Tel. 07 21/133 42 30
www.karlsruhe.de/Kultur/Stadtmuseum/
Di–Fr, So 10–18, Sa 14–18,
Do 10–19 Uhr
S1/11, 2, 5, Tram 1–4, 6; Europaplatz
Eintritt frei
Stadtgeschichte auf 800 m². Besonderheiten: Ein Modell der ›Pyramide‹ macht das Symbol Karlsruhes auch von innen sichtbar. Das Laufrad von Drais

und dazu gehörige Ausführungen verdeutlichen, warum in Karlsruhe die ›Welt auf Räder gestellt‹ wurde. Ein ›Fünfziger Jahre Kino‹ zeigt Bilder aus der Nachkriegszeit. In einem schönen Café (s. S. 39f.) mit Gartenterrasse kann man sich Pausen oder einen stimmungsvollen Abschluss gönnen.

Highlight

Städtische Galerie (C 5/6)

Lorenzstr. 27, Südweststadt
beim ZKM, Lichthof 10
Tel. 07 21/133-40 01 und -44 44
www.staedtische-galerie.de
Mi 10–20, Do–So 10–18 Uhr,
Mo und Di geschl.
Tram 6, Buslinie 55; ZKM
Erw. 2,60 €, erm. 1,80 €, Sonderausstellungen: 6,50 €, erm. 5 €
Ende des 19. Jh. gegründet und in den

Sehenswert

Folgejahren durch die Übernahme privater Kunstsammlungen gut bestückt, existierten die Städtischen Kunstsammlungen bis 1981 ohne eigene Ausstellungsräume. Unter dem neuen Namen ›Städtische Galerie‹ im Prinz-Max-Palais zu einer festen Größe im Karlsruher Kulturleben geworden, seit 1997 mit neuem Domizil beim ZKM. Sammlungsschwerpunkt: Deutsche Kunst nach 1945 bzw. ab 1960 mit besonderer Berücksichtigung des deutschen Südwestens.

Der Rundgang durch die Dauerausstellung beginnt im 2. OG mit badischer Malerei aus der 2. Hälfte des 19. Jh. Im 1. OG begegnet man mit Exponaten der ›Zero-Gruppe‹ Künstlern der 1950er und 1960er Jahre wie Otto Piene, Heinz Mack, Günther Uecker u. a.

Highlight 11

Zentrum für Kunst und Medientechnologie, ZKM (C 5)

Lorenzstr. 19, Südweststadt
Tel. 07 21/81 00 0
www.zkm.de
Führungen: anzumelden unter
Tel. 07 21/81 00-19 90
Mo–Fr 9–13, Di 14–16 Uhr
Tram 6, Buslinie 55; ZKM
Ein beeindruckender Ort, an dem Kinder (ab 15) ihren Eltern (ab 45) sagen wo's lang geht: »Komm Papa, ich erklär' Dir das mal«. Hier werden Kunst und neue Medien miteinander vernetzt. Große denkmalgeschützte Hallen einer ehemaligen Munitionsfabrik wurden zu einer Kulturinsel mit internationalem Niveau umgebaut. Seit 1997 gelingt es hier dem ZKM mit einem Medienmuseum, dem Museum für Neue Kunst, einer Mediathek, Instituten für Bildmedien, Musik und Akustik, Grundlagenforschung und Netzwerkentwicklungen die Aufmerksamkeit eines großen Publikums auf sich zu ziehen. Das ZKM teilt sich diese Kulturfabrik, die auf 300 m Länge in zehn Lichthöfe gegliedert ist, mit der Staatlichen Hochschule für Gestaltung (s. S. 114) und der Städtischen Galerie (s. S. 91).

ZKM Medienmuseum

Tel. 07 21/81 00-0
Mi 10–20, Do u. Fr 10–18,
Sa u. So 11–18 Uhr, Mo u. Di geschl.
Erw. 5,10 €, erm. 3,10 €,
Kinder bis 6 Jahre frei
Ein vollständig interaktiv konzipiertes Museum, das die neuen Medien in den Mittelpunkt stellt. Wie verändern neue Medien unser Denken und Fühlen? Hier gibt es Ansätze zur Beantwortung dieser Frage. Die meisten der ausgestellten und erlebbaren Installationen wurden eigens für das Medienmuseum konzipiert.

ZKM Museum für Neue Kunst

Tel. 07 21/81 00-13 25
www.mnk.zkm.de
Mi 10–20, Do–So 10–18 Uhr
Erw. 4,10 €, erm. 2,60 €
Das Museum befindet sich seit 1999 in den Lichthöfen 1 und 2 der ehemaligen Munitionsfabrik. Über drei Stockwerke erstrecken sich insgesamt mehr als 7000 m² Ausstellungsfläche. Im Mittelpunkt stehen ausgewählte Exponate aus vier bedeutenden Privatsammlungen. Ergänzend zur ständigen Präsentation sind jährlich drei bis vier Wechselausstellungen zu sehen, die eigens für die Räume des Museums konzipiert werden.

Kombitickets:

Museum für Neue Kunst u. ZKM
7,70 €, erm. 5,60 €

MNK, ZKM u. Städtische Galerie
9,70 €, erm. 7,20 €

Highlight

Botanischer Garten (E/F 3)
Am Schloss, Innenstadt
Zugang: Schlossplatz oder
Hans-Thoma-Str.
Gewächshäuser: Di–Fr 9–16,
Sa, So u. Fei. 9–12 u. 13–16 Uhr
S 1/11, 2, 4/41, 5, Tram 1–5;
Marktplatz
Garten: Eintritt frei, Gewächshäuser:
Erw. 2 €
Eine spätromantische Anlage und ein
Gesamtkunstwerk von europäischem
Rang, entworfen von dem für Karlsruhe
wichtigen Architekten Heinrich Hübsch
(1795–1863) und 1837 zusammen mit
dem Bau der Kunsthalle begonnen.

Die besondere Leistung von Hübsch
war die Schaffung eines umschlossenen
Landschaftsraumes, der zugleich als
Kulturforum mit Kunstmuseum und
Theater zwischen Schlossgarten und
Stadt vermitteln sollte. Der eigentliche
Garten entstand schon Mitte des
18. Jh., als der Blumengarten vom
Schlossplatz hierher verpflanzt wurde,
um den zentralen Platz als repräsentativen Empfangshof einzurichten. Die architektonische Fassung und der Charakter eines botanischen Gartens sollten erst hundert Jahre später folgen.

Genuss pur: Am Rand die schönen
Backsteinbauten, im Garten die Bäume
und Büsche, Brunnenbecken, Skulpturen und Gewächshäuser für Kakteen,
Palmen und Orchideen.

Höhepunkt: eine Tasse Kaffee auf
dem Freisitz unter dem filigranen Ei-
senkorpus eines ehemaligen markgräflichen Wintergartens (s. Badische Weinstuben S. 39).

Naturschutzgebiete, Parks & Friedhöfe

Botanischer Garten der Universität (H 3)
Am Fasanengarten 2, Oststadt
www.uni-karlsruhe.de/~botanischer-
garten/
April–Sept. Mo–Fr u. So 8–18,
Okt.–März Mo–Fr 8–15.30, So
9–16.30 Uhr, Sa und Fei. geschlossen
Buslinie 30 oder Fußweg vom
Durlacher Tor
Eintritt frei
Die größte Seerose der Welt, Bananen-
bäume, Insekten fressende Pflanzen …
Die Tropenhäuser und das Freigelände
sind für Erwachsene und Kinder gleich-
ermaßen kurzweilig lehrreich.

Hardtwald (E–H 1)
Innenstadt
S 1/11, 2, 4/41, 5, Tram 1–5;
Marktplatz
Ausgehend vom Schlossgarten erschließen sich dem Spaziergänger und
Radfahrer in nördlicher Richtung mehr
als 16 km Waldgebiet. Das ehemalige
Jagdrevier der Markgrafen ist seit Jahrhunderten die ›grüne Lunge‹ der Stadt
und mit einigen Waldspielplätzen (der
größte heißt ›Wildparkstadion‹) sowie
markierten Wanderwegen versehen.

Schlossgarten (F 2)
Innenstadt
Geöffnet bis Eintritt der Dunkelheit
S 1/11, 2, 4/41, 5, Tram 1–5;
Marktplatz
Diese weitläufige Anlage wurde im frühen 19. Jh. als Landschaftspark angelegt und anlässlich der Bundesgartenschau 1967 erneuert. Für viele ist es die
schönste Parkanlage der Stadt. Für Kinder bedeuten die Rundfahrten mit der
kleinen Schlossgartenbahn einen gro-

Hauptfriedhof (K 2)

Der Karlsruher Hauptfriedhof existiert seit 1874 und gilt als ältester kommunaler Parkfriedhof Deutschlands. Nachdem der älteste Friedhof Karlsruhes vom Marktplatz an die Kapellenstraße verlegt worden war (dort noch heute eine Oase der Ruhe mit Kapelle und verwitterten Grabmalen) und dieser bald zu klein wurde, bekam der Karlsruher Architekt Josef Durm den Auftrag, im Nordosten der Stadt einen großräumigen Friedhof zu schaffen. Inzwischen doppelt so groß wie ursprünglich, dokumentiert er mit seinen Grabmalen, Gedenkstätten und Einzelabteilungen wichtige Kapitel der Stadtgeschichte. So begegnet man am Durchgang zu den Kriegsopfergräbern dem Gedenkstein für Reinhold Frank. Der seiner Zeit in Karlsruhe lebende Rechtsanwalt und Widerstandskämpfer war nach einem fehlgeschlagenen Hitler-Attentat am 23. Januar 1945 hingerichtet worden. Eine Karlsruher Ringstraße trägt heute seinen Namen. Eine weitere Straße erinnert an Ludwig Marum, das erste prominente Nazi-Opfer in Karlsruhe. Das Urnengrab des sozialdemokratischen Widerstandskämpfers befindet sich unweit des Frank-Gedenksteins.

Der Hauptfriedhof ist auch eine beliebte Begräbnisstätte für Sinti und Roma. Einige der Roma-Grabstätten sind auffällig und prunkvoll als kleine Paläste gestaltet.

Östlich des Haupteingangs liegen die beiden jüdischen Friedhöfe Karlsruhes. Der jüdisch-orthodoxe Friedhof ist nicht öffentlich zugänglich. Auf dem jüdisch-liberalen Friedhof wurde 2001 ein großer Gedenkstein für 986 von den Nationalsozialisten ermordeten Karlsruher Juden gesetzt.

Haid-und-Neu-Str. 33, Oststadt
Infocenter Tel. 07 21/7 82 09 33
S 2, Tram 4, 5; Hauptfriedhof

ßen Spaß. Im Osten des Parks liegt der Fasanengarten mit dem Mausoleum, dem Fasanenschlösschen und dem Teehaus. Seinen Namen erhielt dieser Teil des Schlossgartens von der Fasanenzucht, die bis 1866 in diesem Lustgarten betrieben wurde.

Stadtgarten und Zoologischer Garten (E/F 5/6)

Bahnhofplatz und Festplatz, Südstadt
www.karlsruhe.de/Zoo
Kernzeiten: 9–16 Uhr, Frühjahr bis Herbst bis 17.30/18.30 Uhr
S 1/11, 4/41, Tram 2–4, 6; Hauptbahnhof
Eintritt: Erw. 4 €, erm. 3 €, Kinder von 6 bis 15 Jahren 2 €, ein Elternteil und Eltern mit Kindern zweites und weitere Kinder Eintritt frei

Im 19. Jh. war der Stadtgarten noch ein vorstädtisches Naherholungsgebiet mit kleinem Wäldchen und Tiergehege; ein bürgerlicher Gegenentwurf zum höfischen Schlossgarten. Zur Wende ins 20. Jh. um einen großen Rosengarten (300 Sorten) und einen der inzwischen ältesten japanischen Gärten Europas erweitert. Die Bundesgartenschau von 1967 gab Stadtgarten und Zoo schließlich ihre heutige Gestalt. Ein neu eingerichteter ›Blindengarten‹ vermittelt Sinneseindrücke, die auch ohne Sehkraft wahrzunehmen sind. Der Stadtgartensee mit Gondoletta-Booten, Seebühne (Konzerte) und Restauration stärkt den Freizeitwert der Anlage. Dramatisch gestaltete sich hier der Bau des modernsten europäischen Eisbärengeheges: Wegen der Umbauarbeiten in den Jahren 1999/2000 wurden die Eisbären vorübergehend in den Nürnberger Zoo verbracht. Dort öffneten selbst ernannte ›Tierschützer‹ die Gehege. Die Tiere rissen aus und mussten aus Sicherheitsgründen erschossen werden.

Dem Bärendrama kam in Karlsruhe viel Aufmerksamkeit und Mitgefühl zu.

Turmberg (Durlach D 3)

Durlach
Tram 1, 2; Durlach Turmberg
›Berg‹ ist bei knapp 280 m Höhe leicht übertrieben, aber es reicht, um von hier oben einen wunderschönen Blick auf die Rheinebene und das Stadtgebiet von Durlach und Karlsruhe zu genießen. Die älteste Zugseilbahn Deutschlands hilft einem dabei, den Höhenunterschied zu überwinden. Oben gibt es schöne Wanderwege und ein ausgezeichnetes Restaurant (s. S. 41).

Rheinauen

Radfahrten und Spaziergänge durch das Altrheingebiet Rappenwört machen mit einer ›Dschungellandschaft‹ bekannt, die für Ufergebiete des großen Stroms lange üblich waren. Die Rheinregulierung im 19. Jh. reduzierte solche Naturräume sowie ihre spezifische Flora und Fauna erheblich. Das Karlsruher Altrheingebiet wurde deshalb unter Naturschutz gestellt. Zum Naturschutzzentrum gehört ein 2,5 km langer Walderlebnispfad. Wildgehege, Vogelwarte und Ententeich machen dieses besonders für Kinder spannende Gebiet noch reizvoller. Eine Dauerausstellung ›Natur der Rheinaue‹ informiert über die Geschichte des Rheins und die ökologische Bedeutung der Auen.
Hermann Schneiderallee 47, Daxlanden
Ausstellung Naturschutzzentrum: April–Sept. Di–Fr 12–18, Okt.–März bis 17 Uhr, So und Fei. ab 11 Uhr, Eintritt frei
Tram 2; Rappenwört

Ausflüge

Die Naherholungspotenziale des
Rheins werden allzuoft übersehen

Es macht viel Spaß und wenig Mühe, von Karlsruhe aus kleinere Ausflüge nach Süden bis Baden-Baden, nach Norden bis Bruchsal und in den Kraichgau oder nach Westen in die Pfalz und ins Elsass zu unternehmen.

Dazu kann man neben dem Auto auch gut die Regionalbahn des KVV oder bei der Fahrt in die Pfalz die Kombination Regionalbahn/Fahrrad nutzen. Die einzelnen Ausflüge bleiben im Radius unter 50 km Entfernung und sind gut als Tagestouren zu machen. Auf die Angabe von Übernachtungsmöglichkeiten wird deshalb verzichtet. Den Tagestouren sind zwei weitere Ausflugsmöglichkeiten im Nahbereich von Karlsruhe zur Seite gestellt.

Mit dem Schiff auf dem Rhein

Das Fahrgastschiff ›Karlsruhe‹ unternimmt regelmäßig kleinere Fahrten durch den Hafen und auf dem Rhein. Weitere Ausflugsfahrten gehen nach Speyer (13 €), Worms (22 €) und Straßburg (22 €). Kinder unter 14 Jahren bezahlen den halben Preis. Die Anlegestelle befindet sich am Becken II des Karlsruher Rheinhafens. Sie ist gut ausgeschildert. Parkplätze sind ausreichend vorhanden (Tram 5; Rheinhafen).

Termine und Preise unter www.fahrgastschiff-karlsruhe.de

Forschungszentrum Karlsruhe

Das Forschungszentrum Karlsruhe liegt knapp 10 km nördlich der Innenstadt. Wer einen ausführlichen Blick auf die Arbeit der über 4000 Mitarbeiter dieses Zentrums werfen möchte, hat dazu im Rahmen von regelmäßigen Führungen eine interessante Möglichkeit. Dazu ist allerdings eine telefonische Anmeldung nötig. Als sein wichtigstes Ziel definiert das Zentrum »… dem Industriestandort Deutschland mit modernster Mikrosystemtechnik und Medizintechnik neue Hochtechnologien zu erschließen.«

Von der einstigen Kernenergieforschung sind nur noch ein paar Reaktorkuppeln übrig. Die darunter liegenden Anlagen wurden längst stillgelegt. In einem Reaktorrundbau mit 40 m Durchmesser informiert eine Ausstellung über die Geschichte der Kerntechnik. Sie beginnt mit der Entdeckung der Kernspaltung durch Otto Hahn, der als Professor in Karlsruhe lehrte, und reichen bis zu heutigen Großversuchen zur Reaktorsicherheit.

Forschungszentrum Karlsruhe
Hermann-von-Helmholtz-Platz 1,
Eggenstein/Leopoldshafen
Tel. 072 42/82 48 56 (Besucher-
dienst), Terminvereinbarungen
Mo–Do 9–16, Sa 9–14 Uhr
www.fzk.de

 S 2 bis Blankenloch Nord, dann
Bus 195 bis Forschungszentrum
Südtor, mit dem Auto über die B 36 bis
Ausfahrt Forschungszentrum.

Schlösser, Festspiele und Thermen

Bei diesem Ausflug gehören die Krawatte, das Jackett und Badesachen auf
den Rücksitz oder, für S-Bahn-Fahrer,
ins leichte Handgepäck. Schlösser, ein
weltberühmtes Spielcasino und die
Thermen von Baden-Baden liegen auf
der Strecke.

Autofahrer brauchen dabei keine besonderen Routenhinweise. Von Karlsruhe aus auf die A5 nach Süden, Abfahrt
Ettlingen, Abfahrt Rastatt, Abfahrt Baden-Baden – das wär's. 46 km vom
Karlsruher Residenzschloss bis zur Tiefgarage des Spielcasinos in Baden-Baden. Auch die Nutzer öffentlicher Verkehrsmittel werden auf dieser Route
nicht vor Probleme gestellt.

Ettlingen

Kerzengerade verläuft die Strecke der
S1 und S11 auf ihrem Weg von ›Schloss
zu Schloss‹. Vom Marktplatz in der Nähe des Karlsruher Schlosses dauert es
bis zum Ausstieg an der Ettlinger Station ›Erbprinz‹ etwa 20 Minuten. Da
steht man gleich vor zwei Schlössern.
Die neuzeitliche Variante heißt ›Hotel-
Restaurant Erbprinz‹. In dem Luxusho-
tel mit großer Gäste-Ahnen-Galerie

(Rheinstraße 1, www.erbprinz.de) resi-
dieren Königliche Hoheiten noch heute.

Gegenüber, im richtigen **Schloss,**
finden seit 1979 die berühmten Ettlinger Schlossfestspiele statt (s. S. 65f.).
Die Geschichte des Schlosses selbst
reicht bis ins 13. Jh. zurück. Im Pfälzischen Erbfolgekrieg Ende des 17. Jh.
zerstört, erhielt es beim Wiederaufbau
im frühen 18. Jh. seine barocke Prägung.

1727 wählte Markgräfin Sibylla Augusta Ettlingen zu ihrem Witwensitz
und beauftragte Hofbaumeister Johann
Michael Rohrer mit dem Wiederaufbau.
Heute ist das Schloss Sitz des Albgau-
museums, einer städtischen Galerie sowie eines Museums für Ostasiatische
Kunst (Mi–So 10–17 Uhr). Vom Schloss
aus führt die Marktstraße zum Marktplatz, an dem neben dem Rathaus einige schöne Fachwerkbauten stehen.
Die kleine Gassenwelt mit der Bruch-,
Winkel-, Schillingsgasse und der
›Schlabbegass‹ machen den Stadtkern
gemütlich und sehenswert.

 **Touristeninformation
Ettlingen**
Schloss Ettlingen
Tel. 072 43/10 15 26
www.ettlingen.de

Rastatt

Die Buslinie 105 fährt von der Haltestelle ›Erbprinz‹ bis zur Haltestelle ›Bun-
senstraße‹ am Westbahnhof von Ettlingen. Dort steigt man in die S31 oder S32
nach Rastatt, wo zwei weitere Schlösser
und das größte deutsche Straßenthea-
ter-Festival ihr Zuhause haben.

Vom Bahnhof in Rastatt aus sind es
nur ein paar Minuten Fußweg zum
Schloss Rastatt, der ältesten Barock-
residenz am Oberrhein. Das zwischen
1700 und 1707 nach Versailler Vorbild

Lichtentaler Allee: der ›grüne Salon‹ von Baden-Baden

errichtete Ensemble ist vollständig erhalten. Bauherr war Markgraf Ludwig Wilhelm von Baden, der ›Türkenlouis‹ Von ihm und seinen siegreichen Schlachten gegen die Osmanen weiß das Badische Landesmuseum in Karlsruhe (s. S. 88) viel zu erzählen.

Zu den Aufgaben des Architekten Domenico Egidio Rossi gehörte auch die Planung von Garten und Stadt.

Sibylla Augusta, die nach dem Tod Ludwig Wilhelms 1707 zwanzig Jahre die Regentschaft führte, und ihre beiden später regierenden Söhne haben kaum Änderungen an dem Bauwerk vorgenommen. Mit dem Tod des letztregierenden Sohnes August Georg im Jahr 1771 starb das Haus Baden-Baden in der männlichen Linie aus. Die Markgrafschaft kam Baden-Durlach zu. Re-

sidenz war Karlsruhe, das Rastatter Schloss wurde bedeutungslos.

Durch das glanzvolle Innere des Schlosses, in dem auch ein ›Wehrgeschichtliches Museum‹ und eine ›Erinnerungsstätte für die Freiheitsbewegungen der deutschen Geschichte‹ untergebracht sind, finden dienstags bis sonntags stündliche Führungen statt (10–17, Nov.–März bis 16 Uhr). Bei der Besichtigung mag auch von Interesse sein, dass ein weiteres Barockschloss in Bruchsal nördlich von Karlsruhe steht (s. S. 102).

Wer viel Glück hat und sich im Mai oder Juni in Rastatt aufhält, kann Zeuge des größten deutschen **Straßentheater-Festivals** werden. Seit 1993 treffen sich hier im Mai oder Juni für fünf Tage jeweils mehr als 50 Ensembles, um aus den Straßen und Plätzen der Stadt eine bunte Bühne zu machen. Im Jahr 2004 findet dieses Festival vom 18. bis 23. Mai statt.

Vom Schloss aus erreicht man schnell die Haltestelle ›Pavillon‹. Dort fährt die Buslinie 241 in Richtung **Schloss Favorite.** Das kleine Lustschloss ist von der Haltsstelle Förch aus zu Fuß erreichbar, liegt mitten im Wald und beherbergt eine sehenswerte Porzellansammlung. In den Sommermonaten ist das Schloss eine romantische Spielstätte für die Konzertreihe ›Festliche Serenaden‹ (Tel. 0 72 22/93 41 70).

 Touristeninformation Rastatt
Herrenstr. 18 (Schloss)
Tel. 072 22/97 24 62
www.rastatt.de

Baden-Baden

Vom Bahnhof Rastatt aus fährt die S4 zum Bahnhof von Baden-Baden. Da im ehemaligen Stadtbahnhof der berühmten Kurstadt seit 1998 ein großes Festspielhaus residiert und sich der Bahnhof seit vielen Jahren im Ortsteil Oos befindet, nimmt man von da aus den Bus 201 bis zum Leopoldsplatz in die Innenstadt. Entweder man packt jetzt gleich die Badehose aus und wendet sich über die Sophienstraße zum nahe gelegenen Bäderviertel, oder man lässt die Krawatte an und spaziert über die Oos-Brücke zum Kurhaus und dem darin befindlichen Casino.

Im Bäderviertel steht eine erneute Entscheidung an: die neuzeitlichen **Caracalla-Thermen** locken als Badeparadies, das mit Sprudelbad, Sauna-, Massageangeboten keine Wünsche offen lässt. Das gleich daneben gelegene **Friedrichsbad,** ein Prachtbau aus dem späten 19. Jh., ist außen wie innen eine Augenweide für Nostalgiker.

Nach dem Bade steht vielen Gästen der Sinn nach Kaffee, Tee oder Kakao. Eine berühmte Adresse, die einem da weiter helfen kann, erreicht man in fünf Gehminuten über die Lichtentaler Straße und den Augustaplatz. Sie heißt **Brenners Parkhotel.** Schwellenangst ist unangebracht, wenn es darum geht, im Salon dieses Grandhotels in tiefen Polstern einen Kaffee und vor allem den unvergleichlich schönen Blick in die **Lichtentaler Allee** zu genießen. Von da aus bietet sich ein kurzer Spaziergang durch diese Allee an, der man auch heute noch ohne Übertreibung das Prädikat ›Grüner Salon Europas‹ verleihen darf. Wir leben zwar nicht mehr im 19. Jh., und Baden-Baden ist nicht mehr der Treffpunkt von Kaisern und Königen, aber hier in den Grünanlagen, wo die Bäume schon Kaiser Wilhelm I. gesehen haben, wo ein munterer Bach plätschert und die Fassaden von Kunsthalle, Theater, Kurhaus und Trinkhalle Erhabenheit verströmen, bleibt moderne Betriebsamkeit außen vor.

Durch den Boulevard der Kolonnaden, von Weinbrenner 1818 als Holzbuden angelegt und von Carl Dernfeld 1867 in ihre heutige Form gebracht, kommt man zum **Kurhaus.** Friedrich Weinbrenner hat es 1821–1824 in seine heutige Form gebracht und damit viele Fotografengenerationen vor die Aufgabe gestellt, acht korinthische Säulen möglichst stimmungsvoll aufs Bild zu bringen. Hinter diesen Säulen wird bestimmungsgemäß ›Konversation betrieben‹. Seit 1824 bedeutet dies in der Hauptsache, einer kleinen weißen Kugel und ihrem Lauf in einer runden Schüssel gebannt zu folgen. ›Roulette‹ heißt das Spiel, und das dazugehörende Casino wurde ab 1838 von Vater und Sohn Jean Jacques und Edouard Bénazet zum schönsten der Welt ge-

macht. Wer sich davon überzeugen will, kann dies täglich 9.30–12 Uhr bei ruhender Roulette-Kugel sowie zwischen 14 und 3 Uhr in authentischer Atmosphäre. Sollte das Glück beim Spiel ausbleiben, kann man es ja – soweit die Pferde dort gerade galoppieren – draußen vor den Toren von Baden-Baden in **Iffezheim** auf andere Weise herausfordern. Im Mai findet dort jährlich für eine Woche das ›Frühjahrsmeeting‹ statt, Ende August/Anfang September ›die Große Woche‹.

Neben dem Kurhaus erfüllt ein Großteil der historischen **Trinkhalle** heute den Zweck einer Touristinformation sowie eines Kartenvorverkaufs. Der schöne Bau mit Säulen getragener Wandelhalle wurde von Heinrich Hübsch,

Weinbrenners Nachfolger im Amt des Großherzoglichen Baudirektors, errichtet. Gegenüber wohnen die Gäste des ›Europäischen Hofs‹ im Stammhaus der heutigen Steigenberger-Kette.

Vorbei am ebenfalls ehrwürdigen ›Hotel Badischer Hof‹, einem ehemaligen Kloster, führt dann der Weg über die ›Lange Straße‹ zum **Festspielhaus** von Baden-Baden. Die erste Entwicklungsphase des 1998 eingeweihten Musentempels stand unter keinem guten Stern. Kaum sechs Monate bespielt, drohte dem teuren Bau die Luft auszugehen. Intensivbeatmung und Rettung kamen in Person von Andreas Mölich-Zebhauser aus Frankfurt. Seit er Intendanz und Geschäftsführung übernommen hat, sprechen alle von dem guten

Nach holprigem Start jetzt auf voller Fahrt: das Festspielhaus Baden-Baden

Für die Rückfahrt von Baden-Baden nach Karlsruhe benötigt man mit der S4 etwa eine halbe Stunde.

Touristeninformation Baden-Baden

I. in der ›Trinkhalle‹ (Nähe Kurhaus)
Tel. 072 21/27 52 00
www.baden-baden.de

Festspielhaus Baden-Baden

Kassenöffnungszeiten Mo–Fr 10–18, Sa, So, Fei. 10–14 Uhr
Tickethotline Tel. 0 72 21/30 13-101
www.festspielhaus.de

Gut essen und trinken

Staatsweingut Karlsruhe-Durlach

Ein lukullisch geprägter Ausflug beginnt mit dem Besuch des Staatsweinguts Karlsruhe-Durlach. Im Jahr 2003 hundert Jahre alt geworden, verweist dieses Weingut mit Stolz auf die mehr als 1200-jährige Weinbaugeschichte am Turmberg und hält neben guten Weißburgundern auch empfehlenswerte Winzersekte bereit.

Staatsweingut Karlsruhe-Durlach

Posselstr. 19, Durlach
Tel. 07 21/94 05 70
www.turmbergwein.de

Weingarten

Über die B 3 geht es nach Norden, um nach 10 km in Weingarten am Marktplatz dem **Walkschen Haus** (Tel. 0 72 44/703 70) einen Besuch abzustatten. Hinter schönem Fachwerk aus dem

Programm und niemand mehr von Pleite. Oper, Ballett, Konzert und Unterhaltung heißen die Programmsäulen. Der hohe Qualitätsanspruch, den man hier als Gast erwartet, wird konsequent verfolgt und umgesetzt. Besonders begehrt sind inzwischen die Karten für die jährlich stattfindenden ›Karajan-Pfingstfestspiele‹.

Um besondere Qualität geht es auch unterhalb des Neuen Schlosses im **Restaurant La Provence** (Schloss-Str. 20, Tel. 0 72 21/2 55 50-2, tgl. 12–24 Uhr). Im Kreuzgewölbe der alten Wein-Cantzley werden provenzialische Speisen in urgemütlichem Ambiente an die Tische gebracht. Hier treffen sich Gott und die Welt, um den Genuss hochleben zu lassen.

Ausflüge

Jahr 1703 kocht ein Zauberer. Dieser Eindruck entsteht zumindest, wenn man sich in diesem Edelrestaurant niederlässt. Was damit im Einzelnen gemeint ist, lässt sich auf der Speisekarte unter www.walksches-haus.de nachlesen. In den Monaten Mai und Juni empfiehlt sich ein Spargelgericht, denn die in Schwetzingen beginnende ›Badische Spargelstraße‹ führt hier vorbei, und der Spargel gehört zu den Spezialitäten des gesamten nordbadischen Raums.

Weiter auf der B 3 folgt linker Hand gleich ein **Badesee,** der zum Kalorienabbau ebenso tauglich ist wie ein kurzer Spaziergang auf den Michaelsberg bei **Untergrombach.** Für Archäologen ist dieser schroff nach Westen abfallende Hügel ein Begriff: Hier wurden Ende des 19. Jh. jungsteinzeitliche Funde freigelegt, wovon das Heimatmuseum am Ort erzählt. Was die Menschen vor 5500 Jahren so trieben, weiß man nicht. Heute gehen sie als junge Paare oft zur idyllisch auf dem Berg gelegenen Michaelskapelle und heiraten.

Information Weingarten
Rathaus, Marktplatz 2, Zimmer 1
Tel. 072 44/70 20 63
www.weingarten-baden.de

Bruchsal

An der B 3 folgt Bruchsal mit einem sehenswerten **Barockschloss,** das den Badischen Markgrafen als Sommerresidenz diente. Eine Art Residenz stellt auch das darin eingerichtete Museum für mechanische Musikinstrumente dar. Es gehört zum Badischen Landesmuseum Karlsruhe und ist nicht nur für musikhistorisch Interessierte ein besonderes Erlebnis (Di–So 9.30–17, Führungen 11 und 14 Uhr).

Im weiteren Verlauf der B 3 nach Norden folgen linker Hand die nächsten schönen **Badeseen** (Hardtsee und Heidensee) und geradeaus die Ortschaften Ubstadt-Weiher und Stettfeld. In **Stettfeld** sind im Römermuseum (Marcellusplatz, So 10–12 u. 14–17 Uhr) interessante Funde aus den 1980er Jahren zu sehen. Im Ort biegt die Unterdorfstraße rechts ab nach Zeutern. Das ist

Auch als Weinanbaugebiet zunehmend im Gespräch: der Kraichgau

der richtige Weg, um über Zeutern und Odenheim nach Tiefenbach zu kommen und ein bisschen mit dem Liebreiz der Kraichgauer Hügellandschaft zu flirten.

 Touristeninformation Bruchsal
Am Schloss 2
Tel. 072 51/505 94 60
www.bruchsal.de

Kraichgau

Wenn irgendwo in Deutschland ein paar Hügel in der Sonne stehen, sprechen die Werbeprospekte gleich von der ›Deutschen Toskana‹. Sollen sie doch. Hier jedenfalls, wenn man in **Tiefenbach** an den Tischen des Weingutes Heitlinger (Am Mühlberg, www.heitlinger-wein.de) in schönster Landschaft sitzt, braucht man keine Vergleiche. Dann ist die Welt in Ordnung. Schließlich braucht man für den direkten Weg von Karlsruhe hierher mit dem Auto 30 Minuten, mit der Stadtbahn eine Viertelstunde länger. Und während andere einen Business-Flug buchen müssen, um Heitlinger Weine zu genießen, lässt sich das hier ganz unprätentiös auf dem Landweg erledigen.

›Wein und Führerschein‹ – das alte Lied. Dann schon besser gleich die S32 ab Karlsruhe in Richtung Odenheim. Von da aus fährt der Bus 134 nach Tiefenbach. Die Bushaltestelle Tiefenbach-West ist nur 100 m vom Heitlinger Weinforum entfernt. Wer nicht auf den Bus warten möchte, spaziert durch die Weinberge nach Tiefenbach. Die letzte Bahn fährt um Mitternacht zurück nach Karlsruhe. Den Rückweg, so es die Uhrzeit erlaubt, kann man auch über **Gondelsheim** (westlich von Bretten) nehmen. Vor allem Freunde des besonderen Biers werden diesen Umweg nicht bereuen. Denn im musealen Gasthaus

Löwentor (Bruchsaler Straße 4, Tel. 0 72 52/28 80), einer Mischung aus Burg und Uralt-Fachwerk, werden alle möglichen Sorten belgisches Bier ausgeschenkt. Auch auf der Speisekarte stehen Spezialitäten aus Flandern im Vordergrund.

 Touristeninformation Kraichgau (s. Bruchsal).
www.kraichgau.com

Natur grenzenlos

Mit dem Rad ins Elsass

Für Leute, die ihr Fahrrad nicht nur zum Brötchenholen benutzen, eignet sich ein Ausflug von Karlsruhe ins elsässische Weißenburg besonders gut. Vor allem an Wochenenden, wenn die kleine Personenfähre über den Rhein, die das badische Neuburgweier mit dem pfälzischen Neuburg verbindet (im Juli, Aug. tgl., sonst nur Sa und So) in Betrieb ist, macht die etwa 35 km lange Fahrt entlang dem Rhein und der Lauter viel Spaß. Bei gemütlicher Fahrt braucht man dazu ungefähr zweieinhalb Stunden. Für die Rückfahrt lassen sich dann problemlos öffentliche Verkehrsmittel nutzen. Das Rad leiht man sich am besten bei ›Mike's Bike‹ (s. S. 18). Dort gibt es auch entsprechendes Kartenmaterial.

Im Frühling und Herbst bzw. an Wochentagen, wenn die Personenfähre über den Rhein nicht verkehrt, lässt sich die Tour auch als Bahn/Rad-Tour organisieren. Man steigt mit dem Rad am Karlsruher Hauptbahnhof in die Regionalbahn R8, steigt in Wörth auf die Linie R82 um und beginnt die Radtour in Lauterburg.

Wer für diese Fahrt das Auto nimmt, kann nach dem Besuch von Weißen-

Ausflüge

burg durch das ›Weintor‹ an der südlichen Weinstraße bis zur Kurstadt Bad Bergzabern fahren. Man braucht dabei viel Platz im Kofferraum, denn diesseits und jenseits der französischen Grenze gibt es viele gute Weine.

Lauterburg

In Karlsruhe besteigt man an der Station ›Yorckstraße‹ mit dem Rad die Tram 2 und fährt bis zur Endstation Rappenwört. Von dort geht es über den Hochwasserdamm zur Personenfähre.

In Neuburg ist der deutsch-französische Radwanderweg gut ausgeschildert. Auf dem idyllischen Pfad kommt man nach ein paar Kilometern entlang dem Rhein in den Hafen des französischen Lauterburg. Dort stehen viele Autos mit Karlsruher Kennzeichen vor dem Restaurant **Au Bord du Rhin** (Mo–So 18–23, So ab 12 Uhr, Tel.+33/ 388 94 80 20). Auf der baumbestandenen Terrasse mit Rheinblick schmecken die elsässischen Spezialitäten ebenso lecker wie in der Gaststube. Das Restaurant hat eine Reihe guter Fischgerichte und eine sehr gute Bouillabaisse auf der Karte.

Die Alternative für den Genießer in Lauterburg heißt **Restaurant Au Vieux Moulin** (5a, rue du Moulin, Tel. +33/388 94 60 29, www.au-vieux-moulin.fr, tgl. 17.30–23, Sa u Mo ab 12 Uhr). Schon viele Jahre werden hier an der Lauter französische und deutsche Gäste nicht nur mit zig Variationen an Flammkuchen, sondern auch mit anderen Leckereien aus dem Elsass verwöhnt. Eine große Terrasse und ein ur-

Französische Lebensart – in Weißenburg schnell gelernt

gemütlicher Gastraum lassen die Abende in der Alten Mühle lange werden.

Bienwald

Entlang dem Flüsschen Lauter geht es nun durch den Bienwald und damit durch die größte zusammenhängende Waldfläche der Südpfalz. Der kleine Grenzfluss schlängelt sich hier durch Schilf und dichte Erlenbuschwälder. Vogelgezwitscher ist ein guter Ersatz fürs Autoradio. Mächtige Kiefern, Buchen und Eichen prägen auf der Strecke das Bild. Noch Jahre nach dem Zweiten Weltkrieg war dieser Wald für Spaziergänger tabu, denn als Grenz- und Kriegsgebiet war er großflächig vermint. Die Aktion ›Vélo sans frontières‹ – ›Radeln ohne Grenzen‹ – bringt einmal im Jahr bis zu 10 000 Radfahrer auf den Sattel und zeigt bei einer Lauterfahrt, dass dieses Stück Vergangenheit heute einer grenzüberschreitenden Freundschaft nicht mehr im Wege steht.

Auf dem Weg durch den Bienwald lässt man den Ort Scheibenhardt links liegen und ist dann nach etwa 10 km der nächsten Versuchung ausgesetzt, eine Rast einzulegen. Die **Bienwaldmühle**, mitten im Wald gelegen, gehört zu den beliebten Ausflugszielen in der Region. Das Gehöft mit großem Mühlrad war ehemals eine Getreidemühle und ein kleiner Stromlieferant. Heute geht es hier vor allem um gutes Essen und Trinken.

Weißenburg

Jetzt sind es noch 12 km bis zur elsässischen Kleinstadt Weißenburg (Wissembourg). An den Stadtmauern dieses hübschen Fleckens schlängeln sich die Lauter und ein idyllischer Spazierweg entlang. In der Stadt selbst verkehrt eine kleine Touristenbahn, die man aus Märchenparks kennt. Sie führt durch historische Gassen, an Fachwerkgruppen und historischen Bürgerhäusern vorbei.

Schon im späten Mittelalter markierte Weißenburg ein Zentrum des nordelsässischen Handels und wurde so für Raubritter wie Hans Trapp zum Objekt der Begierde. Vom Wasgau aus unternahm dieser Tunichtgut Ende des 15. Jh. Beutezüge ins Elsass, was dort einen so nachhaltigen Schrecken ausgelöst hat, dass Hans Trapp bis heute die nordelsässischen Variante des uns bekannten Knecht Ruprecht darstellt.

Ein wenig nach ›Beutezug‹ sieht es auch aus, wenn man deutsche Käufer im Supermarkt ›Atac‹ (Rue de quatre vents) beobachtet. Da türmen sich Käse, Flaschen mit Edelzwicker-Wein und Fischdelikatessen in den Einkaufswagen zu hohen Bergen.

Wer original Elsässisches in die Satteltaschen stecken möchte, ohne damit großen Ballast zu verursachen, der sucht in der Haupteinkaufsstraße (20, rue National) nach dem Geschäft **Au petit Kougelhopf.** Der Name verrät schon, welches ›Nationalgebäck‹ es da in kleinen, großen und immer sehr guten Variationen gibt. Für Radfahrer ungeeignet, da zum langen Sitzen am Abend wunderschön, ist schließlich das Feinschmeckerrestaurant **Au Moulin de la Walk** (2, rue de la Walk, Tel. +33/ 388 94 06 44).

Den Rückweg von Weißenburg nach Karlsruhe kann man auch als Radfahrer mit der Regionalbahn (R82 bis Winden, von da aus mit der R8 nach Karlsruhe) machen. Das dauert eine knappe Stunde.

Office de Tourisme Wissembourg
9, place de la République
Tel. +33/388 94 10 11
www.ot-wissembourg.fr

Extra-

Fünf Begegnungen mit Karlsruhe
1. ›Vorstädtisch‹ – Streifzug durch Durlach
2. ›Badisch‹ – Typische Orte und Adressen

Alle Touren sind auf
dem großen Faltplan
eingezeichnet

Touren

›Vorstädtisch‹

Streifzug durch Durlach (Plan Durlach)

Die 1938 eingemeindete Kleinstadt Durlach war lange vor der Entstehung Karlsruhes Residenz von Markgrafen und bekam als staufische Gründung schon 1196 die Stadtrechte verliehen. Vor allem im historischen – und erst nachgeordnet im geografischen Sinn ist Durlach in Bezug auf Karlsruhe ›vorher städtisch‹ oder kurz ›vorstädtisch‹.

Mit der ältesten noch in Betrieb stehenden deutschen Standseilbahn, die seit 1965 elektrisch betrieben wird, geht es zunächst im Viertelstunden-Takt hinauf zum **Turmbergturm** (April–Nov. tgl., sonst nur an Wochenenden). Die Fahrt führt an den Weinlagen des Durlacher Staatsweingutes vorbei, die zu den besten Lagen Badens gehören.

Der Turm, Überbleibsel einer mittelalterlichen Burganlage, ist begehbar und bietet eine weite Sicht über Durlach, Karlsruhe und die Rheinebene. Die Vielzahl an Spaziergängern deutet hier oben auf gute Wandermöglichkeiten hin. Wer will, kann in luftiger Höhe auch gleich für den Abend einen Tisch im ›Klenerts‹ reservieren. Das Top-Restaurant hat nicht die Noblesse des unten in Durlach gelegenen Gourmettempels ›Zum Ochsen‹, dafür aber mehr Pfiff und Nonchalance (s. S. 41).

Wieder unten, geht es über Badener Straße und Karlsburgstraße zur **Karlsburg,** dem ehemaligen Sitz der Markgrafen von Durlach (s. S. 79). Das darin eingerichtete Pfinzgaumuseum (s. S. 90f.) verdient je nach Laune eine kürzere oder längere Stippvisite. Dass der benachbarte Schlossgarten um 1565 als Lustgarten angelegt wurde, kann man heute noch nachspüren. Wer hier lustwandeln möchte, wird dazu von einer der ältesten deutschen Kastanienalleen eingeladen.

Ein paar Schritte auf der Pfinztalstraße, der Durlacher Einkaufsstraße, führen am Abend in die beliebte Fachwerkkneipe **Kranz** (Nr. 39) und tagsüber stadteinwärts zum **Marktplatz** mit dem Barockbau des Rathauses und der Stadtkirche. Der Durlacher Marktplatz ist der einzige in Karlsruhe, auf dem montags bis samstags mit Obst und Gemüse (vieles aus Bioanbau) gehandelt wird, und der Marktbrunnen thematisiert mit seinem in den 1990er Jahren gestalteten Aufsatz nicht Ritter, Markgrafen oder Staatsmänner, sondern liebende Menschen und Tiere. ›Liebe im Stadtbild‹, keine schlechte Idee.

Vom Marktplatz aus führt die Amthausstraße Richtung Basler Tor. Gleich am Anfang der kleinen Straße (Nr. 2) lässt sich Bekanntschaft mit zwei Damen machen, die zu den **Durlacher Kreativen** gehören (s. S. 48). Bei Eva Nirk finden sich ausgefallene und geschmackvoll gearbeitete Geschenke aus Leder und im Handarbeitsgeschäft ›MachArt‹ alles zum Thema ›Stricken‹.

Wie das **Amtshaus** (Nr. 11), nach dem die Straße benannt ist, zeigen auch andere erhaltene Bürgerhäuser, dass ›Bürger‹ von ›Burg‹ kommt und dass der Burg nahe lebende Menschen nicht schlecht gestellt waren (z. B. Nr. 17 und 19). Im Amtshaus ist jetzt ein Polizeirevier untergebracht. Gleich daneben führt ein kleiner Durchgang zum Hof einer ehemaligen **Orgelfabrik.** Wo über 200 Jahre Orgeln produziert wurden, ertönen sie jetzt zusammen mit anderen Instrumenten zur Freude des Publikums. Das nach der Fabrik benannte Kulturzentrum hat sich mit Musik, Kabarett, Theater und Ausstellungen in ganz Karlsruhe beliebt gemacht (s. S. 72).

Ein Fußweg auf dem aufgefüllten Stadtgraben führt entlang der Zwingermauer zum **Basler Tor.** Der Turm des letzten erhaltenen Stadttores weiß abendfüllende Geschichten zu erzählen. Auf dem hübschen kleinen Platz davor lassen sich Kinder gerne davon berichten, dass der Turm einst als Gefängnis diente, bei der Einrichtung aber der Einbau von Toiletten vergessen wurde, dass er in Zeiten der Studentenbewegung Zufluchtsstätte für junge Rebellen auf der Flucht vor der Polizei war, … und so fort.

Der alte **Friedhof** an der Gärtnerstraße wurde vor knapp hundert Jahren aufgegeben. Einzelne verwitterte Grabsteine und Denkmale sind in der stimmungsvollen kleinen Parkanlage noch zu sehen.

Die nahe **St.-Peter-und-Pauls-Kirche** wurde 1899/1900 in neogotischem Stil auf dem Gelände der ehemaligen markgräflichen Kelter errichtet und gab den Katholiken in Durlach erstmals seit der Reformation wieder eine eigene Stadtkirche.

In der **Ochsentorstraße** konzentriert sich die Durlacher Kneipenszene, und viele Karlsruher kommen in die ›Alte Schmiede‹ (s. S. 32), um hier die ›besten Maultaschen in ganz Baden‹ zu genießen. Wo einst das Ochsentor stand, verläuft noch heute ein Stück erhaltene Stadtmauer. Das nach der Mauer benannte Sträßchen führt nach links zu dem kleinen Bogen, den Zunftstraße und Bienleintorstraße bilden.

Das restaurierte **Üxküllsche Palais** in der Zunftstraße 12 gehört zu den ältesten Häusern Durlachs. Sein Hausherr Freiherr von Üxküll war der Erzieher des Karlsruher Stadtgründers Markgraf Karl Wilhelm. In der Bienleintorstraße Nr. 25 wissen Monika Woicke und Katharina Siegrist als weitere Mitglieder der ›Durlacher Kreativen‹ in ihrer Schmuckgalerie Artifex (s. S. 50) gut, wie man mit den Eitelkeiten anderer Leute umgeht. Sie haben sich dazu in der nahen Schmuckmetropole Pforzheim ausbilden lassen.

Abschließen lässt sich der Spaziergang bei bestem Kuchen im Café Kehrle (Pfinztalstraße 35).

Tour-Info

Startpunkt: Haltestelle Turmberg (Durlach C 2)
Endpunkt: Café Kehrle (Durlach B 2)
Dauer/Länge: 1 Std./2 km (ohne Fahrt mit der Turmbergbahn)
Unterwegs einkehren: Café Kehrle (s. o.), abends: Klenerts (s. S. 41), Kranz (s. o.), Ochsentorstraße (s. o.)

›Badisch‹

Typische Orte und Adressen (E/F 3–E/F 4)

In jeder Stadt gibt es Orte und Adressen, die eng mit der Lokalgeschichte verknüpft und ›typisch‹ sind. Alteingesessene Geschäfte gehören ebenso dazu wie Lokale, Plätze oder Museen, in denen Regionales eine große Rolle spielt. Typisch badische Begegnungen ermöglicht dieser Spaziergang.

Ausgangspunkt ist das **Schloss**, Sitz des Badischen Landesmuseums. Hier präsentiert sich ein kurzweiliger Querschnitt der kulturgeschichtlichen Entwicklung Badens und des südwestdeutschen Raums (s. S. 88f.). Auf dem Schlossplatz wartet das zentrale **Standbild** von Großherzog Karl Friedrich (1746–1811) mit Informationen zu Baden auf: Die vier weiblichen Figuren rund um den Sockel symbolisieren mit Altbaden, Nordbaden, dem Schwarzwald und der Bodenseeregion die wichtigsten historischen Gebiete Badens. In Händen hält der Mann aus Stein die Urkunde über die Aufhebung der Leibeigenschaft aus dem Jahr 1783.

Über den ›Blauen Strahl‹ aus Bodenfliesen führt der Weg durch den Schlossgarten zur **Staatlichen Majolika-Manufaktur** (s. S. 81f.), die mit Museum, Verkaufsräumen und dem schönen Innenhofcafé zum längeren Verweilen reizt. Man begegnet in dieser ursprünglich Großherzoglichen Einrichtung einem sehenswerten Teil des badischen Kunsthandwerks.

Auf dem Rückweg zur Stadt liegt der **Botanische Garten** als absolutes ›Muss‹ am Wegesrand (s. S. 93). Dort empfängt die **Badische Weinstube** mit ihrer Terrasse unter dem Eisengerüst eines historischen Wintergartens seit langem ihre Gäste. Das Restaurant-Café gehört zu den zeitlos schönen Ausstattungsmerkmalen der Stadt (s. S. 39).

In der Waldstraße macht ein mächtiger, neobarocker Bau auf sich aufmerksam. Mit dem **Badischen Kunstverein** hat hier der zweitälteste deutsche Kunstverein seinen Platz. Ein paar Meter weiter kann man im **Braunschen Antiquariat** (s. S. 47) nach wirklich alten Büchern zu Baden fragen oder nach vergriffenen Exemplaren des Krimiautors Wolfgang Burger, dessen viel gelesenen Storys in Karlsruhe spielen. Gegenüber liegt die mehr als 200 Jahre alte **Kunsthandlung Armin Gräff** (s. S. 47). Man findet hier viele schöne Drucke mit regionalen Motiven. **Wilkendorf's Teehaus** (s. S. 51) gleich daneben besteht ebenfalls schon ewig und wird nicht umsonst zu den schönsten und besten Teefachgeschäften Deutschlands gezählt.

An der Ecke Waldstraße/Kaiserstraße 201 gibt es tatsächlich noch ehemalige **Hoflieferanten.** Hofapotheke, Schirm Weinig und der ehemalige Hofjuwelier Kamphues teilen sich ein schönes Sandsteingebäude. Es wurde 1899–1901 von Hermann Billing errichtet, der sich als ›Karlsruher Architekt zwischen Historismus und Jugendstil‹ einen großen Namen machte. Von ihm stammt auch die Brunnenanlage auf dem Stephanplatz (s. S. 86f.).

Links in die Kaiserstraße abgebogen, steht man nach ein paar Schritten an der nächsten **Fächerstraße.** Sie heißt **Herrenstraße** und macht als einzige der Fächerstraßen wahr, was einmal als Wille der Stadtgründer formuliert und anfänglich auch umgesetzt wurde: Die Namen der Fächerstraßen sollten an die Mitglieder des Fidelitas-Ordens erinnern, der bei der Stadtgründung als ›Besiedlungsorganisation‹ eine große Rolle gespielt hatte und dafür belohnt werden sollte. »Dumm g'loffe« (›gelaufen‹) sagt der Badener: Die Fächerstraßen wurden vom Volksmund einfach umbenannt und erhielten so großteils nach ansässigen Gastwirtschaften (Lamm, Kreuz, Adler, Waldhorn) ihre Namen. Nur die Herrenstraße erinnert an die ›Herren‹ des Fidelitas-Ordens.

In der Herrenstraße 26–28 sieht man eine **dm Drogerie.** Das ist an sich nichts Besonderes, verdient aber als Gründungshaus einer inzwischen europaweit aktiven Drogeriekette Respekt gegenüber dem Gründer Götz W. Werner. Der Mann fing hier 1973 in der ehemaligen Drogerie Roth klein an und begreift seinen inzwischen erreichten Erfolg auch in hohem Maße als soziale Verpflichtung.

Bei der **St. Stephanskirche** (s. S. 87) handelt es sich um eines der schönsten Bauwerke von Friedrich Weinbrenner. Gleich daneben wurde an der Ecke Ständehausstraße/Ritterstraße im Zweiten Weltkrieg das **Ständehaus** als ältestes deutsches Parlamentsgebäude zerstört (s. S. 83f.). Die Badener sind stolz darauf, dem demokratischen Aufbruch in Deutschland schon 1822 die institutionelle Form eines Landtages gegeben zu haben. Seit 1993 ist das von Jürgen Schroeder neu errichtete Gebäude Sitz der Stadtbibliothek. In die Bibliothek ist eine ›Erinnerungsstätte Ständehaus‹ einbezogen.

Der **Rondellplatz,** einst von klassizistischen Wohngebäuden umgeben und recht wohnlich, ist heute kein Platz mehr zum Verweilen. Die Fassade des ehemaligen **Markgräflichen Palais** gibt nur noch einen kleinen Eindruck davon, wie die Platzbebauung vor den Bombenangriffen des Zweiten Weltkriegs ausgesehen hat. Die Verfassungssäule in der Platzmitte erinnert an die erste badische Verfassung aus dem Jahr 1818, die als liberalste ihrer Zeit galt.

Von hier aus sind es drei Minuten Fußweg zum **Marktplatz.** Mit der Evangelischen Stadtkirche, dem Rathaus und der Pyramide ist er wichtigste Stadtplatz (s. S. 82). Das liegende Hotel-Restaurant **Kaiserhof** zeigt seinen Gästen seit langem, was unter ›Verwöhnung auf badische Art‹ zu verstehen ist (s. S. 33).

Tour-Info

Startpunkt: Schloss (F 3)
Endpunkt: Marktplatz (F 4)
Dauer/Länge: 2 Std./ ca. 1,5 km
Unterwegs einkehren: Badische Weinstube (s. S. 39), Kaiserhof (s. S. 33), Majolika-Manufaktur (s. S. 37, 57)

Badisches Staatstheater: ein bewusster architektonischer Kontrapunkt

›Architektonisch‹

Vom Klassizismus zur Postmoderne

»Klassizismus als Prägung, Historismus als weithin sichtbare Epoche, Jugendstil und Bauhaus-Sachlichkeit beispielhaft vorhanden, kühne Rekonstruktionen und neue Formen an vielen Stellen«. Diese Stichworte deuten an, was hier vorherrscht. Die großen Leistungen voran: Zum einen stellt der Fächergrundriss weithin eine Einzigartigkeit dar. Zum andern muss man sich immer wieder vergegenwärtigen, welch großen Einsatzes es bedurfte, dem im Zweiten Weltkrieg ausgebombten Stadtkern wieder Gesicht und Charakter zu geben.

Ausgangspunkt des Spaziergangs ist das **Bundesverfassungsgericht** am Schlossplatz. Am Platz des ehemaligen Hoftheaters richtete der Berliner Architekt Paul Baumgarten 1962–1969 die Gebäudegruppe ein. Die Transparenz schaffende Gruppierung und die formale Strenge der Gebäude lässt Pathos gar nicht erst aufkommen und erhält die historische Achse vom Schlossplatz zum Botanischen Garten.

Gegenüber zeigen sich **Zirkel-Bauten** als Wirkungsstätte mehrerer Generationen: Weinbrenner hatte hier noch zweigeschossig geplant. Sein Nachfolger im Amt des Großherzoglichen Baudirektors, Heinrich Hübsch (1795–1863), brachte die Gebäude auf drei Vollgeschosse und entfernte sie durch den Einsatz sichtbaren Backsteins vom Klassizismus. Heinz Mohl, ein Schüler von Egon Eiermann und Peter Haupt, fügte 1978–1983 auch postmoderne Bauten ein und ergänzte hier mehrfach architektonische Vorgaben von Hübsch. So auch an der benachbarten **Staatlichen Kunsthalle.** Von Hübsch in den Jahren 1837–1846 in Orientierung an der italienischen Renaissance errichtet, erhielt die Kunsthalle durch Josef Durm 1897 einen ersten historischen Erweiterungsbau und durch Heinz Mohl 1978–1990 einen modernen Abschluss.

Weinbrenner-Klassizismus und repräsentative Gründerzeiten-Architektur lassen sich bei einem Abstecher in **Waldstraße** erleben. Oft unbeachtet, aber nicht minder interessant als manche Renommierbauten sind dabei die Modellhäuser (Nr. 5–11, barock und eingeschossig; Nr. 17, klassizistisch und zweigeschossig). In der **Stephanienstraße** zeigen sich die Häuser Nr. 9 und 14 mit klassizistischen Ornamenten. Die **Staatliche Münze** am Schnittpunkt mit der Karlstraße ist das letzte von Weinbrenner geplante Bauwerk (s. S. 86). Mit dem **Marktplatz** erreicht man vom Schlossplatz aus die Höhepunkte der Weinbrenner-Architektur (s. S. 82).

An der Kaiserstraße liegt mit dem Hauptgebäude der **Universität** ein weiteres wichtiges und eindrucksvolles Bauwerk von Heinrich Hübsch. Von hier aus dehnte sich die Campus-Hochschule seit 1836 ein großes Stück weiter nach Osten und nach Nordosten in den Schlossbezirk aus. Mehr als 50 Kunstwerke sind in den öffentlichen Raum der Universität einbezogen. Dazu zählen der ›Spaltkopf‹ von Horst Antes aus den 1970er Jahren am Eingang des Chemiegebäudes ebenso wie die ›Familie von fünf Kugeln‹ von Max Bill, einem Weggefährten von Gropius und van der Rohe.

Über die Waldhornstraße kommt man auf den Fasanenplatz im **Dörfle** (s. S. 76). In diesem Viertel vollzog sich 1960 bis 1995 das größte nachkriegsdeutsche Sanierungsprojekt. Zwischen 1960 und 1970 wurde dabei im Rahmen einer Flächensanierung Kahlschlag betrieben, was sich ab 1972 in eine behutsame Objektsanierung wandelte. Eine Reihe postmoderner Werkbundhäuser (Waldhornstraße 45ff.) macht hier die Formensprache mehrerer Architekten vergleichbar. Nur vom Hubschrauber aus zu besichtigen: Auf das Flachdach eines mehrgeschossigen Parkhauses in der Fritz-Erler-Straße 7–11 ›pflanzten‹ die Architekten Wiest und Partner 13 Reihenhäuser.

Wer auf dem Weg zum Ettlinger Tor durch die Markgrafenstraße noch einen Abstecher in die Erbprinzenstraße machen möchte, sieht dort am Friedrichsplatz drei bemerkenswerte Gebäude: Weinbrenners **St. Stephanskirche** (s. S. 87), den historischen Bau des **Museums für Naturkunde** von Joseph Berckmüller sowie die von Matthias Ungers in den 1980er Jahren neu errichtete **Landesbibliothek.**

Am **Ettlinger Tor** bleibt bis 2005 abzuwarten, wie sich der Neubau eines großen ECE-Shopping Centers in die heterogene Situation an diesem Platz einbringt. Bisher fallen hier das 1975 eröffnete **Badische Staatstheater** als moderner Sichtbetonbau, die 1998 geschaffene **Ettlinger-Tor-Skulptur** sowie die ehemalige **Oberpostdirektion** (1838 nach Plänen von Hermann Billing) an der Ettlinger Straße und das Hochhaus als Sitz des **Landratsamtes** auf. Bei den Hallen und Hotelbauten, die den nahen Festplatz einfassen, kommt der inzwischen denkmalgeschützten **Schwarzwaldhalle** (s. S. 86) architekturgeschichtlich die größte Bedeutung zu. 1953 von Erich Schelling erbaut, war sie mit ihrem ›Hängedach‹ Vorbild und Modell für das viel später konstruierte Tribünendach des Münchner Olympiastadions. Hier liegt auch das **Vierordtbad** (s. S. 75) als Werk von Josef Durm (1867–1946) im Renaissance-Stil.

Vom Festplatz aus fährt die Tram 5 bis zum **ZKM** (s. S. 92). Der 1918 errichtete Betonskelettbau wirkt trotz einer Gesamtlänge von mehr als 300 m und einer Breite von 52 m leicht und transparent. Das Hamburger Architekturbüro Schweger übernahm in den 1990er Jahren den Umbau für die kulturelle Nutzung. Es bewahrte den Charakter des Industriebaus und schuf eine beeindruckende Werkstattatmosphäre.

Tour-Info

Startpunkt: Bundesverfassungsgericht (F 3)
Endpunkt: ZKM (C 5)
Dauer/Länge: 2 Std./ca. 3 km

›Studentisch‹

Zwischen Bibliotheken und Bars

Einige große Karrieren haben ihren Ur-
sprung in Karlsruhe. Ob Carl Benz im
19. Jh. oder Hasso Plattner als Mitbe-
gründer des SAP-Konzerns im 20. Jh.:
Ein Studium in Karlsruhe war und ist
kein schlechter Baustein für die erste
Million. Und wenn es mit dem eigenen
Konzern nicht hinhaut, dann liegt dies
vielleicht an den vielen Versuchungen
in Form von Kneipen und Clubs, die einen hier vom Lernen abhalten.

Wo mit dem Polytechnikum 1825 die
erste technische Hochschule Deutschlands gegründet wurde und das erste
deutsche Mädchengymnasium seinen
Ort hatte, verteilen sich heute etwa
30 000 Studenten auf sechs Hochschulen. Etwa 16 000 Studenten entfallen
auf die 11 Fakultäten und 123 Institu-
te der Fridericiana. Damals wie heute
mischen sie die Stadt in angenehmer
Weise auf und schenken Karlsruhe viel
an Frische und Jugendlichkeit.

Nach einem Frühstück im **Café Gitanes** (s. S. 36) auf dem idyllischen Fasanenplatz in der Oststadt geht sie los,
die kleine Entdeckungstour durch das
studentische Karlsruhe. Die ange-
stammten technischen Disziplinen der
Universität konzentrieren sich auf das
Areal zwischen Kaiserstraße, Durlacher
Tor, Adenauerring und Hardtwald. Die
Kaiserstraße ist vom Fasanenplatz nur
einen Steinwurf entfernt. Dort steht das
sehenswerte, von Heinrich Hübsch
1833–1836 erbaute Hauptgebäude der
Universität **Fridericiana** mit ange-
schlossenem Ehrenhof, der an die ge-
fallenen Hochschulangehörigen des
Ersten Weltkrieges erinnert.

Unweit davon trifft man sich in der
Kneipe **Harmonie** (s. S. 57) in Studen-
tenkreisen gerne auf eine ofenfrische
Pizza oder einen Plausch im Biergarten.

Eine kurze Erkundung der heute ins-
besondere naturwissenschaftlich renommierten Universität ermöglicht der
Fußweg über den Ehrenhof im Rücken
des Hauptgebäudes in Richtung
Schloss. Linker Hand trifft man in der
Englerstraße Nr. 7 auf die Gebäude der
Architekturfakultät. Im Jahre 1947
trat hier der Architekt Egon Eiermann
(1904–1970) seine Professur an. Seine
in Stahlskelettbauweise ausgeführten
Industriebauten erlangten in den Jahren des Wiederaufbaus nach dem Zweiten Weltkrieg Vorbildcharakter und
brachten der Universität auf dem Gebiet der Architektur großes Ansehen. Eine von der Städtischen Galerie für September 2004 bis Januar 2005 geplante Ausstellung soll das Lebenswerk
Eiermanns dokumentieren.

Vorbei am **Institut für Mathematik** führt die Englerstraße zum Neuen Zirkel und eröffnet hier einen Blick auf die Achse, die von den Gebäuden des **Rechenzentrums** und des **Instituts für Wirtschaftswissenschaften** mit dem Ostflügel des Schlosses gebildet wird.

Der gesamte **Campus** der Universität ist inzwischen so groß, dass man 50 Fußballfelder darin einbinden könnte. Zu Themen wie ›Kunst und Architektur auf dem Campus‹ gibt es Führungen.

Über den Zirkel und die Hans-Thoma-Straße geht es, vorbei an der Kunsthalle und dem botanischen Garten, in Richtung Kunstakademie. Die Moltkestraße führt an der **Fachhochschule,** der **Pädagogischen Hochschule, Studentischen Wohnheimen** und der schön gelegenen Jugendherberge von Karlsruhe vorbei.

An der Reinhold-Frank-Straße steht das Hauptgebäude der **Kunstakademie** (Nr. 81/83), die 2004 ihr 150-jähriges Bestehen feiert. An dieser Institution, die auf mehrere Gebäude in der Stadt verteilt ist, haben nicht nur Georg Baselitz und Markus Lüpertz gelehrt. Die Liste der Hochschullehrer, die hier tätig waren, liest sich wie ein ›Who is who‹ der modernen Kunst.

Nach wenigen Metern auf der Reinhold-Frank-Straße in Richtung Süden, führt links die Bismarckstraße zum **Bildhauergarten der Kunstakademie.** Die Glasfassade des Gebäudes ermöglicht einen Einblick in die Arbeit der Studierenden. Unweit von hier, in der Jahnstraße Nr. 20 hat das **Badische Konservatorium** seinen Sitz. Diese städtische Musikschule unterrichtet derzeit ca. 2500 musikalische Talente und bereitet viele davon auf ein Musikstudium vor.

Über die Bismarckstraße und die Seminarstraße auf der oberen Karlstraße angekommen, lohnt sich eine Stippvisite im **Ubu,** der ältesten Studentenkneipe Karlsruhes (s. S. 59), oder im **Café Max** (Akademiestraße 38a, im Max-Palais, s. S. 39f.).

Vom Europaplatz führt der Weg über das Mühlburger Tor und die Reinhold-Frank-Straße zum **Zentrum für Kunst und Medientechnologie** (ZKM), das zusammen mit der **Hochschule für Gestaltung** in einer vormaligen Munitionsfabrik an der Lorenzstraße untergebracht ist. In dem großen Hallenbau residiert auch die Städtische Galerie. Der gesamte Komplex lohnt einen ausführlichen Besuch, da die hier vielfältig aufgenommene Verbindung von Kunst und neuen Medien bisher ein weltweit einmaliges Projekt darstellt (s. S. 92).

Über die Brauerstraße hinweg verläuft der Weg durch die Klauprechtstraße vorbei an der Meyer-Riegger Galerie (Nr. 22) zur Karlstraße, die nach Norden wieder Richtung Stadtmitte führt. Am **Ludwigsplatz** mit seinen vielen Terrassentischen lässt sich der Spaziergang gut beenden. Wer noch ein paar Meter weiter geht, kann den Spaziergang auch themenadäquat im kleinen **Café Segafredo** (Ecke Erbprinzenstraße/Bürgerstraße) abschließen, denn hier bedienen vor allem Studentinnen und Studenten der Hochschule für Gestaltung.

Tour-Info

Startpunkt: Café Gitanes (G 4)
Endpunkt: Ludwigsplatz (E 4)
Dauer/Länge: 4 Std./ca. 3 km
Unterwegs einkehren: Café Gitanes (s. S. 36), Harmonie (s. o.), Ubu (s. S. 59), Café Max (s. S. 39f.), Café Segafredo (s. o.)
Campus-Führungen: Tel. 07 21/6 08 20 89

›Zügig‹

Randgebiete im Visier

Wer sich als Gast in einer fremden Stadt erste Eindrücke verschaffen möchte, tut nicht schlecht daran, mit dem Bus oder der Straßenbahn einfach bis zu den Endstationen in den Außenbezirken zu fahren. Denn hier zeigen sich Charakter und Mentalität einer Stadt oft ungeschminkter als in den Innenstädten.

Vom Marktplatz fahren Tram 1 und 2 Richtung Durlach. Ein erster Stopp lohnt an der Station ›Gottesauer Platz‹. Dort steht mit der 1905–1907 errichteten **Lutherkirche** eine ›moderne‹ protestantische Versammlungskirche (ohne Chor). Die Architektur stammt von Curjel & Moser. Am künstlerischen Ausbau der Kirche waren die namhaften Jugendstilarchitekten Hermann Binz und Max Laeuger beteiligt.

Das von weitem sichtbare **Schloss Gottesaue** (s. S. 85) ist ein imposanter historischer Bau, dessen Wurzeln bis zu einer mittelalterlichen Klosteranlage zurückreichen. Heute residiert hier die Staatliche Hochschule für Musik. Eine Besichtigung ist nur von außen möglich.

Beim Gang durch die Schlachthausstraße lässt sich ein Blick auf das Gelände des **Tollhaus** (Nr. 1) werfen.

Tagsüber ist hier Ruhe, abends dafür der Teufel los (s. S. 67f.).

Nach dem Überqueren der Durlacher Allee führt der Weg in die Tullastraße. Gleich an der Ecke steht linker Hand ein Ensemble schöner **Jugendstilhäuser.** Am Ende der Tullastraße stößt man auf den **Hauptfriedhof,** der als großer Waldfriedhof einen längeren Besuch verdient (s. S. 94).

Stadteinwärts folgt auf der Haid-und-Neu-Straße die **Hoepfner Burg.** Diese ›Festung für Feste‹ (s. S. 33f.) macht mit Türmen, Torbögen und Zinnen schon von weitem auf sich aufmerksam. Sie wurde im späten 19. Jh. von der Traditionsbrauerei Hoepfner errichtet und erfreut den Wandersmann mit einem wunderschönen Biergarten. Der Unternehmenschef Dr. Friedrich Georg Hoepfner hat sich über Karlsruhe hinaus auch als engagierter Förderer von Kultur und Technologie verdient gemacht. Mit seiner Unterstützung arbeitet beispielsweise seit 1997 das **CyberForum.** Es umschließt viele Unternehmer, Kapitalgeber, Hochschulen und Forschungseinrichtungen der Region. Ihr gemeinsames Ziel ist die Förderung von Existenzgründern und die Ansiedlung von Unternehmen im Multimedia-Bereich. Gegenüber der ›Bierburg‹ arbeiten solche Startups auf dem großen Areal der **Technologiefabrik.**

An der Haltestelle ›Karl Wilhelm Platz‹ nimmt man die Tram 5 in Richtung Rheinhafen und fährt bis zur Station **Kühler Krug.** Wer will, kann hier die gleichnamige Hausbrauerei kennen lernen (s. S. 34) oder ein bisschen durch die Günther-Klotz-Anlage spazieren.

Der nächste Stopp der Tram 5 erfolgt an der Station **Entenfang.** An dieser ehemaligen Stadtgrenze fließt die Alb. Auswärtige Bauern, die ihr Federvieh auf dem Markt in Karlsruhe verkauften, hatten für mitgebrachtes Schlachtvieh an der Grenze Zoll zu entrichten. Findige Bauern setzten ihre Enten vor der Stadt in die Alb, gingen zollfrei über die Grenze und fingen die Enten ein paar Meter weiter wieder ein: ›Entenfang‹.

Nahe der Haltestelle erinnert eine Gedenktafel an das Mühlburger Wasserschloss, das 1689 von den französischen Angreifern abgebrannt wurde. **Mühlburg** gehört zu den Karlsruher Stadtteilen, die ihre lange Geschichte und Identität gerne betonen. Man ist sehr stolz auf den ›Mühlburger Sohn‹ Carl Benz, der 1844 hier geboren wurde. Sehenswerte Zeugnisse zum Leben von Carl Benz in Mühlburg gibt es allerdings nicht, denn schon bald nach seiner Geburt nahm sich die allein erziehende Mutter eine Wohnung in der Innenstadt.

Sehenswert und abends auch zum längeren Bleiben geeignet ist das Veranstaltungszentrum **Tempel** in der Hardtstraße 37a (s. S. 72). Auf dem Gelände der ehemaligen Seldeneck'schen Brauerei geht es heute in historischem Gemäuer um Musik und Tanz. Gegründet wurde die Brauerei 1771 von Prinz Wilhelm Ludwig von Baden, Bruder des späteren Großherzogs Karl Friedrich und großer wirtschaftlicher Förderer von Mühlburg. Das zur Brauerei gehörende Landschlösschen ist jetzt Verwaltungssitz der Schnapsbrennerei Kammerkirsch. Es gehörte einst den Großeltern der in Karlsruhe geborenen Schriftstellerin Marie Luise Kaschnitz (1901–1974). Der idyllisch gelegene Fliederplatz und ein Blick in die **Karl-Friedrich-Gedächtniskirche** am Platz runden diesen Gang stimmungsvoll ab.

Von der Station ›Entenfang‹ fährt die Tram 5 weiter bis zur Endhaltestelle **Rheinhafen.** Von da aus ist der kurze Weg zum Becken II gut beschildert. Wer Lust hat, kann mit dem Fahrgastschiff ›Karlsruhe‹ vom Weg aufs Wasser abweichen. Wer dies verschieben möchte, macht in dem Kleinstpark am Hafen eine Rast und fährt dann mit der Tram 5 zurück bis zur Station ›Entenfang‹. Von dort aus fährt die Tram 2 (Nov.–März allerdings nur stdl.) zur Station **Rappenwört,** wo in den Rheinauen ein auch für Kinder interessantes Naturschutzzentrum eingerichtet ist (s. S. 95). Es wurde wie die Gebäude des Rheinstrandbades Rappenwört im Bauhausstil errichtet.

Von der Station ›Rappenwört‹ fährt die Tram 2 zum innerstädtisch gelegenen Europaplatz. Von dort gehen S 1 und S 11 zur Bauhaus-Siedlung **Dammerstock** (s. S. 78). An der Haltestelle ›Dammerstock‹ findet sich ein weiterführender Hinweis und eine Erklärungstafel zum Gropius-Projekt, das Architekturgeschichte geschrieben hat.

Tour-Info

Startpunkt: Marktplatz (F 4)
Endpunkt: Dammerstock (E/F 8)
Dauer/Länge: 6–7 Std./
ca. 6 km Fußwege
Unterwegs einkehren:
Hoepfner Burg (s. S. 33f.),
Kühler Krug (s. S. 34), Tempel
(s. S. 72)

Register

Fotonachweis

Bildstelle der Stadt Karlsruhe   Titelbild, Abb. S. 1, 6/7, 8, 9, 12, 68, 80, 84, 96, 98

Karlsruher Messe- und Kongress- GmbH   Abb. S. 14, 51, 59, 74, 82/83, 106/107, 110, 112

Peter Bastian, Karlsruhe   Abb. S. 2, 3, 20/21, 34/35, 36, 38, 43, 45, 46, 49, 52, 56, 62, 64, 66, 71, 76, 78, 81, 86/87, 88, 94, 102, 108, 114, 116

Carambolage, Karlsruhe   Abb. S. 60

Festspielhaus Baden-Baden   Abb. S. 100/101

Hotel Der Blaue Reiter, Karlsruhe   Abb. S. 22, 27

Hotelwelt Kübler, Karlsruhe   Abb. S. 24

Klenerts Turmbergrestaurant, Karlsruhe   Abb. S. 41

Manfred Braunger, Freiburg   Abb. S. 104

Privatbrauerei Hoepfner, Karlsruhe   Abb. S. 30, 32

Staatliches Museum für Naturkunde, Karlsruhe   Abb. S. 91

Titel: Historische Gebäude wie das Schloss sind ins Alltagsleben der Stadt integriert. Ihre ehrfurchtsvolle Überhöhung gehört der Vergangenheit an.
S. 6/7: Einmalig in der deutschen Städtearchitektur: der Karlsruher Fächer.
S. 20/21: Schon sehr lange Zeit die Shoppingmeile Karlsruhes: die Kaiserstraße
S. 106/107: 1645 blau glasierte Bodenfliesen bilden den ›Blauen Strahl‹ als Gehweg und Verbindung zwischen der Majolika-Manufaktur und dem Schloss.

Alle Angaben ohne Gewähr. Für Fehler können wir keine Haftung übernehmen.
Ihre Anregungen greifen wir gern auf – schnell und unkompliziert.
Unsere Service-Nummer: 0190/145031 (0,61€ pro Minute)
DuMont Reiseverlag, Postfach 101045, 50450 Köln, E-Mail: info@dumontreise.de

Kartografie:

Innenstadtplan und Plan Durlach: © Stadt Karlsruhe: Vermessung, Liegenschaften, Wohnen (VLW)
Übersichtskarte: © DuMont Reiseverlag, Köln
Liniennetzplan: © Karlsruher Verkehrsverbund (KVV)

© 2004 DuMont Reiseverlag, Köln
Alle Rechte vorbehalten
Grafisches Konzept: Groschwitz, Hamburg
Druck: Rasch, Bramsche
Buchbinderische Verarbeitung: Bramscher Buchbinder Betriebe

ISBN 3-7701-6505-5